RHYFELWR RYGBI

RHYFELWR RYGBI

YN ÔL I'R YSGOL. YN ÔL AT RYGBI.
YN ÔL MEWN AMSER.

GERARD SIGGINS

Addasiad Gwenno Hughes

"Gwych." *Sunday Independent*

Gwasg Carreg Gwalch

Ganwyd GERARD SIGGINS yn Nulyn ac mae wedi byw yng nghysgod Lansdowne Road am y rhan fwyaf o'i oes. Bu'n mynychu gemau rygbi yno ers iddo fod yn ddigon bychan i'w dad ei godi dros y giatiau tro. Mae'n ohebydd chwaraeon a bu'n gweithio i'r *Sunday Tribune* am nifer o flynyddoedd. Cyhoeddwyd ei lyfr cyntaf, *Ysbryd Rygbi*, am y chwaraewr rygbi Owain Morgan, gan The O'Brien Press hefyd.

Cyhoeddwyd gyntaf yn Iwerddon dan y teitl *Rugby Warrior* yn 2014 gan yr
O'Brien Press,
© O'Brien Press
© Gerard Siggins

Argraffiad Cymraeg cyntaf: 2017
addasiad: Gwenno Hughes 2017

Rhif Llyfr Safonol Rhyngwladol:
978-1-84527-586-0

Cyhoeddwyd gyda chymorth Cyngor Llyfrau Cymru

Dylunio: Eleri Owen

Cyhoeddwyd addasiad Cymraeg gan Wasg Carreg Gwalch,
12 Iard yr Orsaf, Llanrwst, Dyffryn Conwy, Cymru LL26 0EH.
Ffôn: 01492 642031
lle ar y we: www.carreg-gwalch.com

Argraffwyd a chyhoeddwyd yng Nghymru

CYFLWYNIAD

I'm brodyr Aidan ac Ed, a'm chwaer Ethel.

CYDNABYDDIAETH

Diolch i bawb yn The O'Brien Press am eu hanogaeth, yn enwedig fy ngolygydd hynod oddefgar, Helen Carr. Diolch i'm teulu a'm ffrindiau am eu cefnogaeth ac i nifer o dimau rygbi, criced a phêl-droed ar gyfer chwaraewyr o dan 13 oed am fy ysbrydoli – mi wyddoch pwy ydych. A diolch i'r holl ysgolion, y siopau llyfrau a'r llyfrgelloedd a roddodd y cyfle i mi siarad gyda'm darllenwyr am gymeriadau'r nofel ac am fyd chwaraeon ysgol.

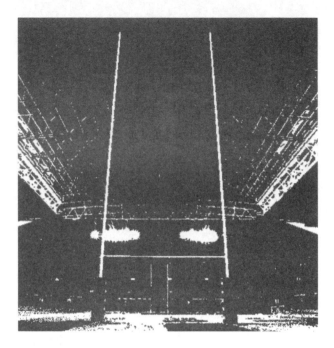

PENNOD UN

'Gwylia'r tail, Owain!' daeth bloedd o'r tu ôl i byst y gôl. 'Ych, rhy hwyr ...' bloeddiodd y llais eto.

Cododd Owain Morgan ei ben a gwenu. Roedd wedi bod yn cicio'r bêl dros y croesfar am dros hanner awr ond ni welodd ei daid, Dewi Morgan, yn cyrraedd. Crwydrodd draw at yr hen ŵr a bwysai ar y rêl oedd yn amgylchynu cae pêl-droed Dreigiau Dolgellau.

'Ti'n cicio'n dda,' meddai Dewi, 'ond ti'n twyllo dy hun wrth ddefnyddio'r pyst pêl-droed – maen nhw gryn dipyn yn is, tydyn?'

'Ydyn, beryg,' meddai Owain, gan godi'r bêl rygbi o ben tomen galed o dail gwartheg. 'Mae'r croesfar yn ddau pwynt pedwar metr, ac mewn rygbi mae o'n dri metr. Mae gôl pêl-droed yn dipyn lletach hefyd, ond mae'n ymarfer da ac mae hi'n dawel yma heddiw.'

'Mae dy fam yn dweud dy fod ti'n paratoi i fynd yn ôl i Graig-wen wythnos nesaf.'

'Ydw,' atebodd Owain. 'Dwi wedi cael haf gwych ac mae'r Dreigiau wedi cael llwyddiant yn y bencampwriaeth hefyd, ond mae gen i hiraeth ofnadwy am rygbi, a bod yn onest. Beryg mai fi ydi'r unig fachgen tair ar ddeg oed yn y wlad sy'n ysu i'r gwyliau ddod i ben fel 'mod i'n gallu dychwelyd i'r ysgol!'

'Wel, ti'n edrych fel dy fod ti'n cael hwyl arni,' gwenodd Dewi. 'Roedd y gic olaf yna gystal bob tamed â'r un wnest ti i gipio'r cwpan dan 13.'

'Roedd hi'n ddiwrnod gwych, doedd?' atebodd Owain, gyda gwên. 'Baswn i wrth fy modd yn chwarae ar Barc yr Arfau eto ryw ddiwrnod.'

'Mae'n rhaid i mi ddweud bod y diwrnod hwnnw wedi bod yn donic,' meddai Dewi. 'Cefais i fy nhrin fel brenin ac i goroni'r cyfan wnest ti ddangos tipyn o asgwrn cefn yn cadw dy ben ar gyfer y gic. Ro'n i'n edrych ar y llyfr lloffion neithiwr, achos mae Arfon Mathews wedi anfon lluniau gwych o'r gêm i mi a bydd rhaid i mi eu rhoi yn y llyfr. Ella galli di roi help llaw i mi wneud hynny heno?' gofynnodd.

'Baswn i wrth fy modd,' meddai Owain, 'ond dwi wedi gosod targed o gant o giciau i mi fy hun prynhawn 'ma ac mae gen i dipyn i fynd, felly byddai'n well i mi ddal ati, os ydi hynny'n iawn?'

Chwarddodd Dewi ac annog ei ŵyr i ddychwelyd i ganol y cae. 'Dyna beth yw ymroddiad, Owain! A gwylia na fydd blaen yr esgid 'na wedi treulio cyn i'r tymor ddechrau, hyd yn oed!' gwaeddodd, cyn crwydro yn ôl at ei gar.

Gosododd Owain y bêl ar y ti, ychydig ymhellach i'r dde, er mwyn gwneud yr ongl yn fwy o her iddo; er hynny, llwyddodd i gicio'r bêl trwy ganol y pyst. 'Hy, targed ychydig yn gulach, wir,' gwenodd wrtho'i hun. 'Galla i gicio'r bêl drwy'r canol waeth pa mor gul yw'r pyst!'

Daliodd ati i ymarfer am ddeng munud arall cyn i rywun dorri ar ei draws. Dylan, un o'i gyd-chwaraewyr newydd ar dîm Dreigiau Dolgellau, oedd yno.

'S'mai, Owain.' Roedd Dylan tua throedfedd yn llai nag Owain ac roedd ei wallt yn fyrrach na phêl dennis.

'Iawn diolch, Dylan. Sut mae pethau efo ti?'

'Mae gen i dipyn bach o newyddion, a dweud y gwir. Dwi'n codi 'mhac am Gaerdydd wythnos nesa. Maen nhw'n fy anfon i Graig-wen. I fan'na wyt ti'n mynd, ia?'

'Ia – am newyddion da! Bydd hi'n braf cael ionc arall yno i dynnu ar gefnogwyr cegog y de!'

Edrychai Dylan fymryn yn nerfus. 'Wn i ddim am hynny. Wyt ti'n cofio 'mod i wedi symud yma o Ben-y-bont ar Ogwr – ddim mor bell â hynny o Gaerdydd. Dy'n nhw ddim yn dysgu Daearyddiaeth i chi yng Nghraig-wen 'cw? Felly os wyt ti'n cael stŵr am gefnogi tîm Rygbi Gogledd Cymru, ti ar dy ben dy hun!' meddai dan wenu.

'Ha, diolch yn fawr, mêt! Wyt ti'n un da am chwarae rygbi? Mae rygbi'n boblogaidd ofnadwy yng Nghraig-wen.'

'Ydw. Ro'n i'n chwarae tipyn pan o'n i ym Mhen-y-bont, felly dwi'n gyfarwydd â'r gêm. Dwi'n fewnwr eitha da, yn ôl pob sôn.'

'Wel, doeddwn i ddim yn meddwl dy fod ti'n chwarae yn yr ail reng, rywsut, os nad ydyn nhw wedi dechrau tîm o Smyrffs, 'te ...' chwarddodd Owain wrth iddo osgoi ymdrech dila Dylan i roi dwrn iddo. 'Wela i chdi cyn i ti fynd er mwyn i mi ddweud wrthat ti beth i'w ddisgwyl. Ond mae'n rhaid i mi fynd – dwi newydd gofio bod Mam wedi dweud bod yn rhaid i mi fynd adre'n gynnar. Pei bysgod i de heno.'

Cydiodd Owain yn ei bêl a rhedeg o'r cae pêl-droed.

PENNOD DAU

Yn hwyrach y noson honno, tynnodd Dewi amlen frown, drwchus o'r cwpwrdd llyfrau a gweiddi ar Owain i ymuno gydag ef wrth fwrdd y stafell fwyta.

'Anfonodd Arfon rhain ata i wythnos dwytha ac mae yna lawer o luniau ohonot ti'n chwarae, a rhai o ryw hen greaduriaid fel fi yn yr eisteddle.' Hen ffrind i Dewi oedd Arfon Mathews a arferai chwarae yn yr un tîm â Dewi. Ef oedd wedi helpu Dewi i ddod dros ei atgasedd tuag at rygbi, a'i annog i wylio'r gêm unwaith eto.

''Drycha, dyna un ohona i gydag Arfon a'r albwm lluniau roddodd o i mi y diwrnod hwnnw,' meddai Dewi. 'A dyma un ohonon ni gyda'r tlws.'

Cydiodd Owain yn y llun grŵp a gwenu – roedd ei fam, ei dad a'i daid yno, a phawb yn edrych yn falch wrth i Owain gofleidio'r cwpan arian sgleiniog y bu o'n gymaint rhan o'i hennill. Bellach, eisteddai'r cwpan yng nghwpwrdd tlysau Coleg Craig-wen.

'A dyma un ohonot ti ar fin cicio'r trosiad buddugol ...'

Cymerodd Owain y llun gan ei daid.

'Llun da,' meddai Dewi, 'ond mae 'na rywbeth wedi digwydd wrth iddo gael ei brintio, mae'n rhaid – mae 'na smotyn rhyfedd jest o dan y pyst yn y fan'na.'

Syllodd Owain ar y llun, ac yn wir, roedd yna ddarn bach sgleiniog i'w weld o dan y croesfar. Dim ond Owain a wyddai pam. Syllodd ar y siâp disglair, gan gofio mai dyma'r union fan lle safai ei ffrind, Dic yr ysbryd, wrth iddo'i annog i gymryd y gic olaf allweddol.

Cyfarfu Owain a Dic ar daith o'r ysgol i Stadiwm Principality, a doedd Owain ddim wedi sylweddoli ar y pryd mai ysbryd oedd o. Dechreuodd y ddau siarad ac roedd Dic wedi helpu Owain i ddysgu am y gêm newydd ac wedi rhoi cyngor gwerth chweil iddo. Dim ond wythnosau'n ddiweddarach y soniodd Dic am y ddamwain angheuol yn ystod gêm ar Barc yr Arfau gerllaw, a sut y bu'n byw a bod rhwng y ddau le am bron i ganrif. Cymerodd beth amser i Owain arfer â'r syniad ond daeth yn hoff iawn o'i ffrind newydd mewn dim o dro.

'Mae'n siŵr mai rhyw broblem gyda'r argraffydd sydd wedi'i achosi, Taid,' awgrymodd Owain, 'ac roedd yr haul yn llachar ar do'r stadiwm y diwrnod hwnnw; falle mai dyna sy'n gyfrifol.'

Cododd Dewi ei ysgwyddau a mynd ymlaen at y llun nesaf.

'Bydd yn rhaid i ni fframio cwpwl o'r rhain a rhoi'r gweddill yn yr albwm. Baswn i'n hoffi rhoi'r llun yna ar fy wal; mae'n fy atgoffa i o un o'r dyddiau gorau ges i mewn deugain mlynedd,' gwenodd.

'Ga i fynd â'r un aneglur, plis?' gofynnodd Owain. 'Dyna brofiad wna i byth ei anghofio a dwi eisiau cael fy atgoffa ohono mor aml â phosibl.'

'Iawn, gad o yn fan'na ac mi wna i gopi i ti,' meddai Dewi. 'Rŵan 'ta, dweud wrtha i, pryd rwyt ti'n hel dy draed am Graig-wen?'

'Dydd Sul, Taid. Dwi'n meddwl bod Dad am fynd â fi ar ôl cinio. Hoffech chi ddod am dro?'

'Byddai hynny'n hyfryd. Ond ca i weld be mae dy dad yn ei feddwl yn gynta. Mae o wastad yn poeni amdana i ar ôl y trawiad llynedd, er 'mod i'n iach fel cneuen ac yn fwy heini na dwi wedi bod ers deugain mlynedd.'

Y noson cyn i Owain ddychwelyd i'r ysgol, cnociodd Dylan ar ddrws y tŷ.

'S'mai Owain, hoffet ti fynd am dro bach?'

Cydiodd Owain yn ei hwdi a dilyn Dylan drwy'r giât, gan ddal i fyny gydag o wrth iddyn nhw droi cornel un o'r lonydd oedd yn arwain at brif stryd Dolgellau.

'Pryd wyt ti'n cychwyn i'r de?' holodd Dylan.

'Pnawn fory. Wyt ti'n iawn am lifft? Dwi ddim yn siŵr a fydd gennym ni le, cofia.'

'Ydw, fydda i'n iawn, dwi'n meddwl. Sut le ydi'r ysgol 'ma, 'ta?'

Eglurodd Owain i Dylan sut roedd yr ysgol yn cael ei rhedeg, a beth oedd y patrwm arferol ar gyfer y blynyddoedd cynnar a'r newydd-ddyfodiaid. Eglurodd y drefn o ran yr ymarferion rygbi, gan ddweud wrth Dylan y byddai'n siŵr o orfod dechrau yn y trydydd tîm, er bod cyfle iddo symud i'r timau uwch os oedd o'n chwarae'n dda. Soniodd am y ffordd y gwnaeth o hynny, a'r modd y daeth ei dymor i ben â'i gôl fuddugol ar Barc yr Arfau.

'Wyt ti ychydig bach yn nerfus?' holodd Owain.

'Nadw, a dweud y gwir,' meddai Dylan. 'Ry'n ni fel teulu wastad wedi symud o le i le, felly dwi wedi hen arfer â cherdded i ganol dosbarth o ddieithriaid. Ond mae pethau'n reit ddiflas adre ar hyn o bryd ...'

'Ydi popeth yn iawn?'

'Wel ... ro'n i angen mynd o'r tŷ pnawn 'ma am ychydig o awyr iach. Wyt ti awydd bag o sglods? Mae'n siŵr mai hen bys slwj gawn ni o hyn ymlaen yng Nghraig-wen ...'

Ymunodd Owain gyda Dylan am un swper olaf yn Nolgellau cyn iddyn nhw adael am y de y diwrnod wedyn.

Wrth iddyn nhw gerdded yn ôl i gyfeiriad tŷ Dylan aeth car heddlu heibio iddyn nhw'n araf.

'Tynnwch yr hwdis yna, fechgyn', meddai'r heddwas drwy ffenest y car.

Stopiodd yr bechgyn a thynnu eu hwds. Safodd Owain yn stond, wedi'i synnu bod yr heddlu'n gofyn iddyn nhw wneud y fath beth, a hwythau'n cerdded i fyny'r llwybr yn ddiniwed. 'Oes 'na rywbeth yn bod?' gofynnodd.

'Na, dim o gwbl. Ewch yn eich blaenau,' oedd yr ateb.

Prysurodd y ddau heibio i'r gornel a stopio y tu allan i giât cartref Owain.

'Roedd hynna ychydig bach yn od,' meddai Owain.

'Rwyt ti'n dod i arfer efo fo wrth fyw yng nghanol y dre,' atebodd Dylan.

'Beth bynnag, wela i di'r adeg yma fory yng Nghraig-wen. Siwrne saff,' meddai Owain, gan droi a cherdded i fyny'r llwybr.

'Ia, dwi'n edrych ymlaen yn arw,' meddai Dylan, er nad oedd ei wyneb yn dangos yr un brwdfrydedd â'i eiriau.

PENNOD TRI

Dringodd tair cenhedlaeth o deulu'r Morganiaid i'r car y diwrnod canlynol gyda chês, sach gefn a bag cit Owain wedi'u pacio'n dynn yn y bŵt. Tair awr oedd hyd y daith o Ddolgellau i Gaerdydd gan amlaf, ond gyrrai tad Owain fel malwen. Gyda'r car dan ei sang a Dewi yn mynd ar daith hir am y tro cyntaf mewn chwe mis, gallai crwban fod wedi'i oddiweddyd. Felly cymerodd y daith lawer hirach nag arfer gan fod ei dad yn mynnu stopio bob deng milltir ar hugain i brynu potel o ddŵr, i daflu potel wag, neu i edrych ar yr olygfa. Roedd hi'n dechrau nosi pan gyrhaeddon nhw Goleg Craig-wen.

'Does yna ddim llawer wedi newid, nag oes?' meddai Dewi gan edrych i fyny ar y waliau cerrig llwyd ac ar arwyddair yr ysgol uwch y drws. '*Victoria Concordia Crescit*,' darllenodd. 'Drwy gydymdrech y daw buddugoliaeth. Ond wyddoch chi beth, mae hi'n teimlo fel oes pys ers i mi ddod yma ar gyfer fy niwrnod cynta ...'

Syllodd Dewi o'i gwmpas wrth i'w fab barcio'r car, gan sylwi ar yr adeiladau newydd oedd wedi'u codi yng nghefn yr ysgol. Tapiodd Owain ar ei ysgwydd a phwyntio at y caeau chwarae.

'Yn fan'cw ro'n i'n arfer ymarfer fy nghicio, Owain. Do'n i byth yn gwneud mwy na hanner cant mewn un sesiwn, cofia, felly does 'na ddim rhyfedd dy fod ti ddwywaith cystal â mi!'

Dringodd pawb o'r car a dechrau codi pethau Owain o'r bŵt. Roedd bron i bedwar mis hyd gwyliau'r Nadolig, felly roedd angen pentwr o bethau i'w gynnal drwy'r tymor.

'Croeso 'nôl, Mr Morgan,' taranodd llais Mr Hopcyn, prifathro hynaws Craig-wen. 'A chroeso cynnes i'r ddau gyn-ddisgybl hefyd!'

Brasgamodd Mr Hopcyn i lawr y grisiau ac estyn ei law i daid Owain. 'Dewi Morgan, croeso 'nôl i Graig-wen. Alla i ddim credu bod chwe mis ers eich ymweliad olaf. Roedd hwnnw wir yn ddiwrnod bythgofiadwy, diolch yn bennaf i Owain yn fan hyn,' meddai, gan guro ysgwydd Owain.

'A ddewch chi i mewn am ddishgled a brechdanau cyn y daith adref?' gofynnodd.

Cytunodd y ddau Forgan hŷn ac anelu am stafell y prifathro.

'Ewch chi – dwi ddim yn meindio cario tri bag trwm i'r llawr uchaf,' gwaeddodd Owain yn goeglyd. 'Ddo i heibio i ddweud ta-ta.'

'Och, paid â chonan, Owain,' meddai Mr Hopcyn, 'ac rwyt ti ar y llawr cyntaf 'leni, braint brin sydd fel arfer yn cael ei chadw ar gyfer myfyrwyr y flwyddyn gynta. Mae yna restr o enwau ar y wal yn fan'co. Rwyt ti yn stafell ... saith.'

'Grêt,' cwynodd Owain, fymryn yn hapusach. Cariodd y cês i landin y llawr cyntaf.

Wrth iddo ddychwelyd i nôl gweddill ei bethau, edrychodd drwy'r drws mawr agored a gweld ffigwr bychan yn bustachu i fyny'r dreif hir. Wrth i'r ffigwr ddod yn nes, sylwodd Owain ei fod o'n cario cês enfawr, a bod ei ysgwyddau bron â sigo dan bwysau ei sach gefn. Wrth i'r ffigwr gyrraedd drws yr ysgol, fe wnaeth Owain ei adnabod.

'Dylan! Wyt ti eisiau help llaw efo hwnna?' gofynnodd.

'Owain, mae'n grêt dy weld ti. Ia, tybed fedri di gymryd y cês?' atebodd Dylan a'i wynt yn ei ddwrn.

Llusgodd y bechgyn y bagiau i'r cyntedd ac edrychodd Owain ar ei ffrind. Edrychai Dylan fel petai ar fin cwympo.

'Wyt ti'n iawn, Dylan? Sut ddest ti yma? Wnest ti *gerdded* i fyny'r dreif?'

Syllodd Dylan ar ei draed.

'Do. Ges i'r bws o'r ddinas. Wnaeth o 'ngollwng i tua dau gan metr o'r giât.'

'A sut gwnest ti gyrraedd Caerdydd?'

'Bws arall. Roedd o'n tsiampion. Roedd 'na ddigon o le a ges i gyntun bach ar y ffordd.'

'Ond bu'n rhaid i ti lusgo'r bagiau 'na i gyd efo ti? O, Dylan, dylet ti fod wedi dweud wrtha i neithiwr nad oedd gen ti lifft. Bydden ni wedi trefnu rhywbeth.'

'Na, ro'n i'n ocê. Rŵan, oes gen ti unrhyw syniad ble mae fy stafell?'

Cerddodd Owain draw at y rhestr, ac er mawr lawenydd, gwelodd y ddau eu bod yn rhannu'r un llofft. Bustachodd y bechgyn i fyny'r grisiau gyda'u bagiau unwaith eto, nes iddyn nhw ddod o hyd i stafell rhif saith a gwthio'r drws yn agored.

'OWAIN!' Daeth rhu wrth i ben ymddangos rhwng dau wely.

'Alun,' atebodd Owain. 'Dwyt ti ddim yn chwilio am y llygoden 'na eto fyth, wyt ti?'

'Na, archwilio'r gwelyau ro'n i. Fi sy'n cael y dewis cynta am mai fi gyrhaeddodd gynta. A dydi ennill medal y tîm dan 13 ddim yn rhoi unrhyw freintiau i ti, cofia,' chwarddodd Alun.

Cyflwynodd Owain ei ddau ffrind i'w gilydd a dewisodd pawb wely fyddai'n eiddo iddyn nhw am y naw mis nesaf.

PENNOD PEDWAR

'Nefi, mae'r gwely 'ma'n lympiog,' cwynodd Dylan wrth iddo wasgu'r fatres.

'O, maen nhw i gyd felly,' cwynodd Alun. 'Beryg bod y matresi wedi bod yma ers dyddiau Dewi Morgan.'

'Pwy ydi Dewi Morgan?' holodd Dylan.

'Och, Dewi ydi arwr chwedlonol mwya'r ysgol,' atebodd Alun. 'Taid arwr chwedlonol diweddaraf yr ysgol ...' ychwanegodd, gan bwyntio at Owain fel petai o'n cyflwyno seren o Hollywood ar *Heno*.

'Dy daid *DI*?' meddai Dylan, mewn penbleth. 'Beth wnaeth o?'

'Wel,' mwmialodd Owain, 'roedd o'n dipyn bach o seren rygbi amser maith yn ôl. Wnaeth o ennill y Cwpan Hŷn i Graig-wen ac maen nhw'n dweud y byddai wedi gallu chwarae dros Gymru hefyd.'

'Ac i fyny'r grisiau, mae 'na lofft wedi'i henwi ar ei ôl,' meddai Alun.

'Ac ella gwnân nhw enwi hon ar dy ôl di.' Daeth y sylw gan ddyn hŷn oedd newydd ymddangos yn y drws. 'Noswaith dda, fechgyn, a chroeso arbennig iawn i'r dyn ifanc yma – Mr Jones, ie?'

'Ia, syr,' atebodd Dylan.

'Arfon Mathews ydw i a dwi wedi bod yn dysgu yma ar hyd fy oes – neu o leiaf mae'n teimlo felly! Ond yn anffodus, fydda i ddim yn cael y cyfle i dy ddysgu di.'

'Pam hynny, syr?' gofynnodd Owain.

'Dwi wedi ymddeol, Owain,' meddai Mr Mathews. 'Dyna maen nhw'n ei alw fe pan mae'r awdurdodau'n mynnu dy fod ti'n rhoi'r gorau iddi. Mae'n bechod achos dwi'n teimlo y gallwn i ddysgu am flynyddoedd.'

'Mae hynny'n ofnadwy, syr. Oes 'na ddim siawns y gwnân nhw roi ail gyfle i chi?'

'Wel, oes, mae'n siŵr fod 'na, ond dydw i ddim eisiau rhwystro athro newydd rhag cael swydd. Mae Mr Hopcyn wedi bod yn dda iawn ynglŷn â'r cyfan, chwarae teg, ac mae e wedi gofyn i mi aros 'mlaen fel ymgynghorydd yn yr adran hanes. Mae ganddo dipyn o gynlluniau ar gyfer datblygu'r adran a gyda chanmlwyddiant yr ysgol y flwyddyn nesaf, bydd cyfle i mi sgwennu llyfr a rhoi trefn ar archifau'r ysgol. Fydd 'na ddim cyfle i mi laesu dwylo, mae hynny'n saff!'

'A sôn am Mr Hopcyn, fe ddywedodd wrtha i dy fod ti yma, Owain. Roedd e eisiau i mi ddweud wrthot ti fod Dewi a dy dad ar fin gadael am Ddolgellau. Wyt ti eisiau dod i ddweud ta-ta?'

Brasgamodd Owain i lawr y grisiau, ddwy ris ar y tro, a chyfarfod â'r tri fel roedden nhw'n cyrraedd drws yr ysgol.

'O, Owain, dwi'n falch ein bod ni wedi cael cyfle i ffarwelio. Gobeithio cei di flwyddyn ardderchog yma eleni ac mi welwn ni ti dros y Nadolig. Ella galli di adael i mi wybod beth fydd canlyniadau dy gemau di hefyd. Fedri di eu tecstio nhw i mi?' gofynnodd Dewi.

'Alla i ddim, Taid,' atebodd Owain. 'Does gen i ddim ffôn symudol.'

'O, wel, mae hi'n lwcus 'mod i wedi prynu un i ti, tydi?'

meddai Dewi, gan dynnu ffôn smart, sgleiniog o'i boced. 'Mae 'na ddigon o bres arno, a dwi hyd yn oed wedi llwyddo i gael dy fam i roi fy rhif i ynddo fo, felly does gen ti ddim esgus.'

'O Taid, mae hynna yn wych. Wrth gwrs gadwa i mewn cysylltiad ...'

'Gan gadw at reolau'r ysgol, wrth gwrs,' meddai Mr Hocpyn. 'Bydda i'n egluro ein canllawiau ar gyfer y defnydd o ffonau symudol yn y gwasanaeth bore fory.'

'Wrth gwrs,' meddai tad Owain. 'A rŵan, gwell i ni fynd. Gobeithio cei di dymor da, boi, ac mae hi'n dda gwybod y galli di gadw mewn cysylltiad o hyn ymlaen. A chofia, mae rygbi'n bwysig ond dy wersi di sy'n dod gyntaf, iawn?'

'Iawn, Dad,' gwenodd Owain. 'Af i'n syth yn ôl at y llyfr Mathemateg ro'n i'n ei ddarllen ar y gwely. Siwrne saff.'

'O, mae gen i rywbeth arall i ti hefyd,' meddai Dewi, gan estyn ffotograff wedi'i fframio i Owain – yr un ohono'n cicio'r trosiad buddugol yn y gêm gwpan.

'Diolch, Taid. Dwi am roi hwnna yn fy locyr,' meddai.

Wrth i'r car yrru ymaith trodd Mr Hopcyn at Owain. 'Mae hi mor braf gweld Dewi yn dishgwl mor dda. Roedd e'n dweud dy fod ti wedi bod yn ymarfer dy rygbi dros yr haf hefyd? Byddi di'n falch o glywed bod gennym ni hyfforddwr rygbi newydd ar gyfer y blynyddoedd cynnar. Mae e'n dod o Seland Newydd ac mae e wedi chwarae yn nhîm iau y Crysau Duon. 'Wy'n credu y byddi di'n dwlu arno fe.'

PENNOD PUMP

Gwawriodd diwrnod cyntaf y tymor i gyfeiliant sŵn dyrnu mawr ar ddrws y stafell wely. Agorodd Owain ei lygaid a chodi ei hun ar ei benelin er mwyn gweld beth oedd yn achosi'r holl dwrw.

'Hanner awr wedi saith, bois. Bydd brecwast mewn chwarter awr a bydd angen i chi fod wedi newid a 'molchi cyn hynny,' cyhoeddodd Mr Daniels, un o'r athrawon, fel ceiliog.

Cododd lletywyr stafell saith – oedd yn cynnwys Rhodri, Cefin a Ffrancon, a gyrhaeddodd y noson cynt – fel un, gan ddylyfu gên a thyrchu yn eu cesys am eu gwisgoedd ysgol. Rhuthrodd Alun i'r stafell ymolchi gyntaf, gan ei fod yn gwybod y byddai ciw yno mewn dim.

'Ydyn ni'n cael dewis o frecwast yma?' gofynnodd Dylan i Owain wrth iddyn nhw fynd i lawr y grisiau.

'Wrth gwrs,' chwarddodd Owain. 'Galli di ddewis un ai bwyta neu lwgu.'

Ac yn wir, un frawddeg oedd ar y fwydlen frecwast ar ddrws y ffreutur: 'Selsig (x2).'

Dechreuodd Alun, y bolgi, gwyno. 'Sut goblyn maen nhw'n disgwyl i ni dyfu ar gyn lleied â hynny o fwyd?'

'A bod yn deg, mae o'n ddwy sosej yn fwy nag roeddwn i'n arfer ei gael yn fy hen ysgol,' gwenodd Dylan. 'Ond ga i afael ar sosej arall i ti rŵan. Gwylia hyn.'

Pan gyrhaeddodd flaen y ciw, gwenodd ar y wraig oedd yn rhannu'r brecwast.

'Oes 'na siawns mai Jones ydi'ch cyfenw chi?' gofynnodd iddi. 'Achos rydych chi'n fy atgoffa i'n ofnadwy o Mam. Er eich bod chi'n dipyn 'fengach na hi, wrth gwrs.'

'O nag o's, bach. Miss Jarvis odw i a 'wy wedi byw dafliad carreg o fan hyn ar hyd fy mywyd. Ti'n newydd, on'd wyt ti?'

'Ydw. O Ddolgellau, ac mae gen i hiraeth ofnadwy am fy mam a'm chwaer,' ochneidiodd Dylan.

'O, gwnawn ni ddishgwl ar dy ôl di, bach,' meddai Miss Jarvis, gan roi selsigyn ychwanegol a darn o dost ar ei blât.

'Diolch yn fawr,' gwenodd Dylan, gan roi winc iddi.

Pan gyrhaeddodd y bwrdd hir, rhoddodd Dylan y bwyd ychwanegol ar blât Alun, a oedd yn ddiolchgar iawn. Cnodd y bechgyn eu brecwast gan edrych o gwmpas y stafell i weld pwy arall oedd wedi dychwelyd i'r ysgol.

Daeth Aneurin draw i ddweud helô ac i ddweud ei fod o wedi gorfod aros yn ôl am flwyddyn wedi iddyn nhw sylweddoli ei fod o'n rhy ifanc i fod ym Mlwyddyn Saith. Roedd o bellach yn ôl yn Llofft Dewi Morgan.

'Ond dyw e ddim yn beth drwg,' meddai. 'Fi yw'r hynaf yn y flwyddyn nawr yn hytrach na'r ieuengaf, felly 'wy'n cael tipyn mwy o barch!'

Chwarddodd y bechgyn ac addawodd Aneurin gadw mewn cysylltiad.

'Ai fi sydd wedi cymryd ei le?' gofynnodd Dylan.

'Ia, mae'n siŵr,' meddai Owain. 'Ond paid â phoeni. Dydi dy draed di ddim hanner mor ddrewllyd â'i draed o, ac mae dy sgiliau bachu sosej yn werth chweil, felly ti'n ychwanegiad poblogaidd.'

'O na, meddai Alun. 'Sbïwch – trwbwl.'

Rhoddodd Owain broc i Alun yn ei asennau wrth i ddau fachgen frasgamu drwy'r neuadd, gan oedi am eiliad i ddwyn selsigyn oddi ar blât un o'r bechgyn iau.

'Richie Davies ydi hwnna,' hisiodd. 'Boi cas ofnadwy. Mae'n werth ei gadw hyd braich.'

Oedodd Davies wrth ymyl y bwrdd lle'r eisteddai Owain a Dylan.

'Shwmai, Owain,' gwenodd. 'Pwy yw'r bachgen newydd 'ma?'

'S'mai, Richie,' dywedodd Owain, yn amheus. 'Dylan ydi hwn. Mae o'n rhannu stafell efo ni.'

'Shwmai, Dylan. Wyt ti'n un da am chwarae rygbi?'

'Ddim yn ddrwg,' atebodd Dylan. 'Wnes i ddim chwarae llynedd ond wnes i chwarae tipyn ym Mhen-y-bont ar Ogwr cyn hynny.'

'Grêt, edrycha i 'mlaen at dy weld yn yr ymarfer yfory. Bydd treialon y flwyddyn gynta wythnos nesa. Fyddi di 'na hefyd, yn byddi di, Owain? Cawn sgwrs bryd hynny.'

Yna cerddodd Davies yn ôl i gefn y stafell, gan oedi i fachu selsigyn oddi ar blât un o fechgyn Blwyddyn Saith cyn eistedd i lawr ar bwys ei gyfaill Gwion Prothero.

'Mae o'n edrych yn foi iawn,' dywedodd Dylan. 'Beth sy'n bod, Owain? Ti'n edrych fel taset ti mewn sioc,' meddai.

'Alla i ddim credu'r peth. Dyna'r tro cynta erioed iddo fod yn glên efo fi. Wnaeth o 'mywyd i'n uffern y llynedd – a llwyddodd i wneud hynny i lwythi o fechgyn eraill. Fo ydi bwli mwya'r flwyddyn ond rŵan, mwyaf sydyn, mae o'n trio swnio fel mêt. Dyna pam dwi mewn sioc.'

'Ia!' meddai Alun. 'Pigodd o arnat ti yn fwy na neb, ond

wnest ti ddal dy dir a gwnaeth o gamu 'nôl. Beryg bod y ffaith dy fod wedi ennill y cwpan – a hynny ar dy ben dy hun, fwy neu lai – yn golygu na wnaiff o fentro pigo arnat ti eto. Ti fydd Mr Poblogaidd yr ysgol y flwyddyn yma. Wnest ti ddim sylwi fel roedd y bechgyn iau i gyd yn edrych arnat ti fel petaet ti'n Sam Warburton?'

'Dwi'n dal yn amheus ohono fo,' dywedodd Owain.

'Pam mae o'n mynd o gwmpas yn gwadd pobl i'r ymarfer rygbi? Dydi o ddim wedi cael ei enwi fel capten *eto*,' meddai Rhodri.

'Falle 'i fod e'n trio edrych fel capten i wneud yn siŵr mai fe gaiff y job,' cynigiodd Ffrancon.

'Ia. Ella dy fod ti'n iawn,' meddai Owain.

'A pham oedd o mor awyddus i wybod a oeddet ti'n chwarae rygbi, Dylan?' holodd Rhodri.

'Wn i ddim. Ella bod nhw angen mewnwr gwych?' atebodd y bachgen newydd.

Aeth y bwrdd yn dawel a gwgodd Rhodri. 'Dwi ddim yn siŵr am hynny,' meddai. '*Fi* ydi'r mewnwr.'

PENNOD CHWECH

Ar ôl brecwast ymgasglodd yr holl ysgol yn y neuadd fawr i glywed araith groeso flynyddol Mr Hopcyn. Symudai Owain o un droed i'r llall yn anniddig, gan geisio osgoi Alun oedd yn gwneud stumiau arno wrth i'r prifathro rygnu ymlaen.

'... ac fel dywedais i wrth Owain Morgan neithiwr ...'

Neidiodd Owain pan glywodd ei enw a throi'n binc wrth iddo sylweddoli bod hanner yr ysgol bellach yn syllu arno.

'... mae gennym ni bolisi ysgol newydd ar y defnydd o ffonau symudol ac mae'n bwysig iawn eich bod yn talu sylw iddo. Gall disgyblion gael ffôn yn yr ysgol, ond mae'n rhaid bod y sŵn wedi'i ddiffodd ac ni ddylid ei ateb o dan unrhyw amgylchiadau yn ystod y gwersi. Mae'n polisi ni'n syml. Dy'n ni ddim eisiau eu gweld nhw a dy'n ni ddim eisiau eu clywed nhw. Os byddwn ni'n gweld neu'n clywed am fachgen yn defnyddio'i ffôn yn ystod amser gwersi, fe gaiff ei gymryd oddi arno am wythnos gyfan a'i gadw yn fy swyddfa i. Mae gennych hawl i'w defnyddio ar amseroedd penodedig, fydd yn amrywio o flwyddyn i flwyddyn, a bydd eich athrawon yn eich cynghori am hynny. Pan y'ch chi yn eich gwersi, mae'n rhaid i chi eu gadael wedi'u diffodd, yn eich locyr.

'Ry'n ni wedi darparu Wi-fi yn rhad ac am ddim 'leni, ond byddwn yn monitro eich defnydd o'r we. Mae ffonau symudol yn gaffaeliad mawr ond gallan nhw fod yn niwsans mawr hefyd, felly cadwch at y rheolau.'

Gorffennodd Mr Hopcyn ei araith drwy groesawu'r holl

fechgyn newydd a rhannu ei neges arferol am sut y gall rygbi uno bechgyn Craig-wen – hen a newydd – a sut roedd o'n disgwyl i'r flwyddyn yma fod hyd yn oed yn fwy llewyrchus na'r llynedd.

'Diflas, diflas, diflas,' meddai Alun wrth iddyn nhw grwydro tuag at eu stafell ddosbarth. 'Mae pawb yn gwybod na wnawn ni byth gipio'r Cwpan Iau nes i'r anhygoel Owain Morgan fod yn ddigon hen i chwarae. Mi fetia i y gwnân nhw drio ffugio dy dystysgrif geni.'

'Wyt ti wir yn chwaraewr da?' gofynnodd Dylan, ond gostwng ei ysgwyddau wnaeth Owain gan ddweud, 'Wel, ges i flwyddyn fach dda y llynedd a wnes i fwynhau'r cicio gosod, ond paid â gwrando ar y twpsyn yna.'

Pan gerddon nhw i mewn i'w stafell ddosbarth, synodd pawb wrth weld Mr Mathews yn sefyll yno yng nghwmni dyn llawer iau.

'Bore da, fechgyn. Brysiwch i'ch seddi,' meddai.

Dechreuodd Mr Mathews siarad unwaith roedd y bechgyn wedi setlo.

'Wel, mae'n braf eich cael chi i gyd yn ôl yng Nghraig-wen ac mae'n dda gweld wynebau newydd, ffres hefyd. Yn anffodus, cha i ddim y fraint o'ch dysgu chi 'leni, ond bydda i'n dal yn yr ysgol a dwi'n siŵr y ca i gyfle i ddysgu ambell i wers. Y gŵr bonheddig yma, Mr Lawson, fydd eich athro newydd ac mae'n dod o ben arall y byd. Os dyweda i 'Y Crysau Duon,' efallai gallwch chi ddyfalu o ble mae e'n dod!'

Cynhyrfodd y dosbarth.

'Ie, o Seland Newydd,' meddai Mr Mathews, 'neu o Wlad y Cwmwl Hir Gwyn, fel mae'r Maori yn ei galw. Mae e'n dipyn o gyd-ddigwyddiad, ond o'r fan honno mae eich hyfforddwr rygbi newydd, Mr McRae, yn dod hefyd. Bydd Mr Lawson yn dysgu hanes i chi 'leni a dwi'n gwybod ei fod yn awyddus iawn i gychwyn ei swydd gyntaf yng Nghymru gan fod ei rieni yn enedigol o Ferthyr. Felly gadewch i mi eich cyflwyno i Mr McRae, gan ofyn i chi roi croeso cynnes iddo.'

Edrychodd yr athro newydd o gwmpas y stafell gan sylwi ar wynebau ei ddisgyblion.

'Diolch, Mr Mathews, a bore da, bois. Greg Lawson ydw i a 'wy'n dod o Wellington, prifddinas Seland Newydd. 'Wy wedi dod i Gaerdydd fel rhan o raglen gyfnewid sydd wedi'i threfnu rhwng fy ysgol i a Choleg Craig-wen, a 'wy wir yn disghwl mlân i'ch dysgu chi eleni.

'Gadewch i mi eich sicrhau fy mod i wedi bod yn astudio hanes Cymru ers blynyddoedd, felly mae hyn yn ddechrau addawol iawn. 'Wy hefyd yn clywed eich bod chi i gyd yn ddisgyblion brwd, sydd ddim yn fy synnu, gan taw Mr Mathews wnaeth eich dysgu y llynedd.

'Byddwch chi'n astudio tri phrif gyfnod eleni, a byddwn ni'n gwneud prosiectau ar y cyfnodau hynny. Felly 'wy'n gobeithio eich bod chi i gyd yn awyddus i wneud gwaith ychwanegol. Unrhyw gwestiynau?'

'Syr, wnaethoch chi erioed weld y Crysau Duon yn chwarae?' gofynnodd Gavin Johnston, un o aelodau'r tîm buddugol dan 13 y llynedd.

'We-e-e-l,' atebodd Mr Lawson, 'falle y synnwch chi o glywed nad yw pob person o Seland Newydd yn dwlu ar rygbi. 'Wy wedi gweld y Crysau Duon, wrth gwrs – fe wnaethon ni ennill Cwpan y Byd y tro dwetha, wedi'r cwbl – ond 'wy'n fwy o fachan pêl-droed a chriced. Ydyn nhw'n chwarae rheini yma?'

'Ddim yng Nghraig-wen,' meddai Gavin.

'Trueni. Falle gallwn ni drefnu rhywbeth,' meddai Mr Lawson. 'Ta beth, chwarae teg i ti am drio, Johnston, ond dy'n ni ddim 'ma i drafod chwaraeon, felly agorwch eich llyfrau ar dudalen un ...'

PENNOD SAITH

Wedi'r gwersi aeth Owain a Dylan yn ôl i'w llofft i gasglu eu cit rygbi.

'Beth oeddet ti'n feddwl o hynna?' gofynnodd Owain.

'Ddim yn ddrwg o gwbl,' atebodd Dylan. 'Mae'r athrawon yn ymddangos yn glên ac roedd nifer o'r bechgyn yn ddigon cyfeillgar.'

Pan gyrhaeddon nhw'r cae, gwisgodd y ddau eu hesgidiau rygbi a brysio draw at weddill y bois oedd wrthi'n gwneud ymarferion ymestyn gyda Mr Charles.

'Prynhawn da, Morgan,' meddai, gan edrych ar ei oriawr. 'Ti wedi cyrraedd gyda phedwar deg pum eiliad i'w sbario – ca'l a cha'l oedd hi. Cadwa lygad ar yr amser, arwr y tîm dan 13 neu beidio ... '

'Mae'n ddrwg gen i, syr. Roedd fy locer i'n cau agor,' atebodd Owain.

'Pwy yw'r crwt newydd?' gofynnodd yr hyfforddwr.

'Dylan Jones,' atebodd y bachgen.

Holodd Mr Charles ef am ei brofiad rygbi a chodi ei aeliau pan soniodd Dylan ei fod wedi chwarae dan 12 i glwb enwog Pen-y-bont ar Ogwr.

Rhedodd y grŵp – y tri thîm dan 14 – allan ar y cae'n hamddenol, er mwyn cael ystwytho'u cocsau ar ôl haf dioglyd.

'Ti'n dishgwl yn heini, Morgan,' meddai Mr Charles, wrth i'r sesiwn ddod i ben.

'Ydw, syr. Dwi'n eitha ffit ar ôl treulio'r haf yn chwarae

pêl-droed. Dyna lle wnes i gyfarfod Dylan,' eglurodd.

'Gwylia di nad wyt ti'n ei gor-wneud hi wrth roi cynnig ar ormod o chwaraeon drwy'r flwyddyn, cofia. Mae rheolau newydd wedi'u creu am hynny 'leni.'

Trodd at weddill y grŵp. 'Gwrandewch, fechgyn. Roedd clwb cyn-chwaraewyr yr ysgol wedi dwlu eich bod chi wedi cipio'r cwpan dan 13. Roedd llawer ohonyn nhw yno'r diwrnod hwnnw i wylio'r Gleision ac roedden nhw'n falch o'u hen ysgol am wneud mor dda. Trefnodd rhai ohonyn nhw gasgliad ac maen nhw wedi hel digon o arian i wneud cyflwyniad i chi i gyd. Maen nhw wedi'ch gwahodd i Stadiwm Principality ar gyfer derbyniad yr wythnos nesaf. Bydd yno rywbeth i'w fwyta a'i yfed.

'Mae e'n beth hyfryd iddyn nhw ei wneud a 'wy moyn i chi i gyd fod ar eich gorau. Awn ni â chi yno ac yn ôl ar y bws mini. Mae'r flwyddyn gyfan wedi cael gwahoddiad, er mai dim ond sgwad y gêm gwpan fydd yn cymryd rhan yn y cyflwyniad. Iawn, bawb? Grêt, wela i chi ddydd Mercher am sesiwn hyfforddi galetach, a bydd eich hyfforddwr newydd 'ma hefyd ...

'O, ie, peidiwch â disghwl mor syn. Gwnes i sôn 'mod i'n symud lan at dîm y Cwpan Iau? Wel, Kiwi yw eich hyfforddwr newydd ac roedd e'n chwaraewr arbennig iawn yn ei ddydd. Wnaeth e chwarae i dîm iau y Crysau Duon ond mae e wedi dod draw i Gymru ar raglen gyfnewid hyfforddwyr. Fe fydd yn gofalu am y chwaraewyr hŷn a'r tîm dan 14 drwy'r flwyddyn. Gollodd e'r awyren o Amsterdam y bore 'ma, felly welwch chi ddim ohono tan ddydd Mercher.'

'Fyddwch chi'n mynd i Seland Newydd, syr?' holodd

Rhodri.

'Ym, na fyddaf, yn anffodus,' meddai Mr Charles. 'Casnewydd fydd y lle pellaf fydda i'n mynd eleni!'

PENNOD WYTH

Roedd yr hyfforddwr newydd wedi cyrraedd erbyn dydd
Mercher, gan greu tipyn o gynnwrf yng Nghraig-wen yn syth.
Doedd o ddim yn dal iawn, ond roedd ganddo wallt melyn hir
a barf flêr a wnâi iddo edrych yn debycach i Lychlynnwr na
gŵr o un o ynysoedd y Môr Tawel. Gwisgai jîns a chrys-T
melyn llachar, er mai tymor yr hydref oedd hi.

Ond erbyn i aelodau'r tîm dan 14 gyrraedd yr ymarfer ar
ôl ysgol y diwrnod hwnnw, roedd o'n gwisgo tracwisg ddu
smart, gyda rhedynen arian fechan ar ei frest.

'*G'day* bois, fy enw i yw Nathan McRae a 'wy yma i
hyfforddi rygbi y flwyddyn yma. 'Wy'n clywed eich bod chi
eisoes yn eitha da – a 'wy wedi gweld y tlws *biwt* sydd yn y
cwpwrdd cwpanau yn stafell Mr Hopcyn. Gawn ni redeg o
gwmpas y cae heddiw cyn bwrw iddi o ddifri cyn hir. 'Wy'n
siŵr bydd popeth yn disgyn i'w le yn fuan a 'wy wedi
gwirioni'n ddwl 'mod i'n cael bod yma.'

Rhythodd y bechgyn ar Mr McRae.

'Ydi popeth yn iawn?' gofynnodd. 'Wnaethoch chi ddeall
unrhyw beth ddywedais i?'

'Ym, roedd o'n swnio yn debyg i Gymraeg, syr,' atebodd
Rhodri, 'ond mae eich geiriau yn reit ... wel, ym ... wahanol ...'
Cytunodd gweddill y grŵp.

'Digon teg,' meddai'r hyfforddwr gan wenu. 'Wedi dysgu
Cymraeg gan fy ngwraig ydw i. Hwntw yw hi. Ac mae gen i
acen Seland Newydd gref. Mi wna i geisio cadw pethau'n

syml. 'Wy am i chi loncian i fyny ac i lawr y cae i gynhesu. O ie, all Davies a Morgan sefyll yn fan acw, plis.'

Rhythodd pawb wrth i Richie ac Owain gael eu gyrru i gornel bellaf y cae, ond dechreuodd y grŵp loncian wrth i'r hyfforddwr newydd grwydro draw at y ddau.

'Iawn, bois,' meddai wrth ymuno â nhw. 'Wy'n awyddus i apwyntio capten ar gyfer y tîm yma ar y dechrau. A 'wy'n credu mewn arwain y tîm o'r blaen a thrwy esiampl. 'Wy wedi siarad gyda Mr Charles ac mae e wedi dweud wrtha i mai chi yw'r ddau chwaraewr gorau sydd ganddo. Ydi hynny'n wir?'

'Ody,' meddai Davies, heb oedi.

'Wel ...' meddai Owain.

'Iawn. 'Wy'n falch o glywed dy fod ti mor hyderus, Davies. 'Wy'n hoffi hynna mewn chwaraewr – a chapten. Ond pam rwyt ti'n bod mor wylaidd, Morgan?' gofynnodd yr hyfforddwr. 'Onid yw hi'n wir dy fod ti wedi cipio'r cwpan i ni llynedd fwy neu lai ar dy ben dy hunan bach?'

'Dwi ddim yn dadlau nad fi yw *un* o'r chwaraewyr gorau, syr,' atebodd Owain, 'ond dydw i ddim yn meddwl fod Richie yn un chwaith.'

Roedd Richie'n gegrwth.

'Wela i,' meddai Mr McRae'n feddylgar. 'Nawr, wyt ti'n siŵr o'r hyn rwyt ti newydd ei ddweud?'

'Ydw, syr,' meddai Owain. 'Mae Richie yn chwaraewr da iawn ond dydi o ddim yn un o'r goreuon yn y tîm. Os ydych chi'n chwilio am gapten, dwi'n credu y dylech chi edrych ar Gavin Johnston, sy'n chwarae clo. '

'Iawn,' meddai Mr McRae, 'bydd yn rhaid i mi ystyried hyn a gwylio'r DVD o'r gêm gwpan unwaith eto. Wnest ti greu argraff arna i wrth i ti symud i fyny i'r bumed ran o'r wyth cyntaf ar ôl i Davies gael ei anafu ...'

Edrychodd Owain arno'n ddryslyd.

'O, ddrwg gen i. 'Wy'n anghofio bod gennych chi enwau gwahanol am eich safleoedd ar y cae. Y bumed ran o'r wyth cyntaf – y *first five eighth* – ydi beth ry'n ni'n galw eich maswr, eich rhif 10, chi.

'Beth bynnag, 'wy hefyd yn credu mai asgwrn cefn y tîm yw'r lle gorau i ddod o hyd i arweinwyr – y bachwr, rhif wyth, maswr, cefnwr – felly fe fydda i'n edrych yn agos iawn ar y safleoedd yna hefyd. Ewch i ymuno â'ch sgwad a gawn ni drafod hyn nes 'mlaen.'

Rhedodd Owain a Richie i ben pellaf y cae lle roedd gweddill timoedd dan 14A a 14B yn dal i gynhesu.

'Ti'n hen beth slei, Morgan,' poerodd Davies. 'Pwy ti'n feddwl wyt ti'n siarad fel'na amdana *i*. Fi yw'r chwaraewr gore yn y tîm 'ma ers i ni ddechre bum mlynedd yn ôl.'

'Mae'n ddrwg gen i, Richie. Dydi o'n ddim byd personol. Ond dwi jest ddim yn cytuno.'

'Ro'n i hyd yn oed yn dechrau dy hoffi di,' hisiodd Davies, 'ond os taw fel'na mae'i deall hi, 'wy'n barod am ffeit.'

'Fel dywedais i, dydi o'n ddim byd personol,' meddai Owain.

PENNOD NAW

Hedfanodd yr wythnos gyntaf yn ôl yn yr ysgol a setlodd Owain a Dylan yn gyflym i batrwm bywyd yng Nghraig-wen. Dros y penwythnos, aeth Owain â Dylan am dro o gylch tir yr ysgol, gan ddangos y cuddfannau mwyaf dirgel iddo a'r llefydd gorau i wylio'r haul yn machlud. Dechreuodd Dylan grwydro ar ei ben ei hun, oedd yn rhyddhad i Owain, gan nad oedd o eisiau treulio'r flwyddyn ysgol gyfan â rhywun wrth ei gwt.

Ar ôl i wersi dydd Llun ddod i ben, rhedodd disgyblion y flwyddyn at ddau fws mini oedd wedi'u parcio y tu allan i swyddfa'r prifathro. Dringodd Mr Charles ar y bws lle roedd Owain a'i ffrindiau'n eistedd, a sefyll o'u blaenau.

'Reit bois, tawelwch plis. Mae hon yn daith arbennig i ddisgyblion Craig-wen, a 'wy'n gobeithio y gwnewch chi werthfawrogi'r cyfle. 'Wy'n gwybod eich bod chi'n medru ymddwyn yn dda, felly does dim angen i mi bregethu wrthoch chi.

'Pan gyrhaeddwn ni Stadiwm Principality, awn ni'n syth i'r stafell bwyllgor lle byddwn ni'n gwylio DVD o gêm gwpan y llynedd. Gawn ni damed i'w fwyta a'i yfed, yna bydd y cyn chwaraewyr yn cyflwyno cofrodd o'r achlysur i chi. Mwynhewch y daith - ac fel dywedais i – gwnewch fi'n falch ohonoch.'

Roedd Dylan wedi cyffroi wrth i'r bws wau trwy'r traffig tua'r stadiwm. 'Dwi erioed wedi bod yma o'r blaen,' cyfaddefodd. 'Baswn i wrth fy modd yn gweld gêm fawr yn y stadiwm, ac alla i ddim dychmygu sut brofiad oedd o i *chwarae* ar Barc yr Arfau drws nesaf.'

'Roedd o'n eitha arbennig,' cytunodd Owain, 'ond mae hi'n rhyfedd fel mae rhywun yn medru anwybyddu popeth yn ystod y gêm. Wnes i ddim ond dechrau teimlo'n nerfus wrth i'r gêm dynnu tua'i therfyn, jest mewn pryd ar gyfer y gic olaf!'

'Ond mae'n rhaid dy fod wedi dod dros y pwl o nerfusrwydd yn go sydyn,' chwarddodd Dylan.

Stopiodd y bws yn y twnnel a redai yr holl ffordd o gwmpas canol y stadiwm a pharcio yn yr ardal lle roedd y llwybr yn lledu.

Cyfarchwyd y bechgyn gan ddynes oedd yn gwisgo siaced a logo'r stadiwm arni, a chafodd y bechgyn eu tywys i lifft a'u cludodd i fyny i'r pedwerydd llawr. Roedd llond y stafell o fyrddau llawn danteithion, ond cofiodd bechgyn Craig-wen am rybudd eu hathro, felly fe arhosodd pawb yn amyneddgar cyn mynd at y byrddau.

Roedd recordiad o'r rownd derfynol yn chwarae ar y sgrin fawr ac roedd Dylan yng nghanol y criw bechgyn oedd yn gwylio'n frwdfrydig.

'Mae hynna mor cŵl, Owain,' meddai wrtho. 'Ti'n chwaraewr da iawn, ond dwi'n meddwl bod gen i siawns dda o gael cyfle i chwarae mewnwr. Dydi o ddim mo'r gorau, nag ydi?'

'Cym bwyll rŵan, Dylan. Mae Rhodri'n rhannu llofft efo ni ac mae o'n ffrind da. Aros i weld sut aiff pethau – ond ella bydd yn rhaid i ti fod yn amyneddgar,' atebodd Owain.

'Pam?' gofynnodd Dylan. 'Mae gennym ni hyfforddwr newydd. Mae o'n sicr o ddewis y boi gorau i'w roi yn y safle.'

'Falle ...' meddai Owain. Allai o ddim dadlau gyda Dylan ond roedd o'n gallu gweld sut y gallai hyn achosi trafferth ymhlith lletywyr stafell rhif saith.

'Gaf i'ch sylw chi, plis?' galwodd dyn mewn siwt lwyd. 'Fy enw i yw Pwyll Morus ac mae hi'n teimlo fel oes pys ers i mi chwarae i dîm dan 13 Coleg Craig-wen. Fi yw cadeirydd clwb y cyn-chwaraewyr eleni, ac ry'n ni wedi penderfynu anrhydeddu eich buddugoliaeth anhygoel y llynedd. Roedd e'n berfformiad syfrdanol ac roedden ni'n falch iawn ohonoch chi'r diwrnod 'na. Yn enwedig gan fod 'na gymaint o bobl wedi dod i'ch gwylio.

'Fe hoffen ni wneud cyflwyniad i bob aelod o'r tîm ardderchog, a hoffwn wahodd y capten ysbrydoledig, Richie Davies, i ddod yma er mwyn galw eu henwau.'

'Huw Bowen, Glyn Roberts, Hari Huws ...' ymlaen ac ymlaen yr aeth Richie, gan enwi pawb yn y garfan. Cyflwynwyd llun o'r tîm i bob aelod a thracwisg werdd dywyll, smart gyda'u henwau wedi'u brodio ar y cefn a'r geiriau 'Cwpan dan 13' ar y blaen.

Aeth Richie drwy'r tîm yn nhrefn rhifau'r crysau ond gadawodd rif 15 allan. Wedi iddo alw ar yr eilyddion, galwodd ei enw ei hun, mynd i gasglu'i wobr, a cherdded yn ôl at ei ffrindiau yng nghefn y neuadd.

Cafwyd cymeradwyaeth frwd cyn i Mr Morus roi ei law i fyny. 'Daliwch sownd,' meddai. 'Mae 'na un dracwisg dros ben yn fan hyn ... Gadewch i mi edrych ... oes, a'r enw ar y cefn yw Morgan. Ydi e ddim 'ma? Ydi e wedi gadael yr ysgol?'

'Dwi yma, syr,' meddai Owain. 'Ella bod Richie wedi anghofio 'mod i wedi chwarae y diwrnod hwnnw?'

Rhythodd Davies ar Owain, ac os oedd hepgor ei enw yn ymdrech fwriadol i'w fychanu, wnaeth o ddim gweithio. Wrth i Owain godi i gasglu ei gofrodd, cafodd fwy o gymeradwyaeth na'r hyn gafodd gweddill y bechgyn gyda'i gilydd.

PENNOD DEG

Wedi ychydig mwy o areithiau, setlodd y bechgyn i wylio ail hanner dramatig y gêm. Crwydrodd rhai o gwmpas y stafell lawn tlysau i syllu ar y lluniau o arwyr mwyaf y gêm o'r gorffennol.

'Llongyfarchiadau, Owain, roedd honna'n wobr hyfryd i'w chael, doedd?' gofynnodd Mr Mathews.

'Oedd, syr, diolch,' atebodd yntau.

Pwyntiodd Mr Mathews at un o'r lluniau oedd ar y wal. 'Tîm Cymru 1909–1910 ydi hwn. Roedden nhw newydd guro'r Albanwyr pan gafodd y llun yma ei dynnu ac roedd capten y tîm yna'n ŵr arbennig iawn, er nad ydw i'n gallu ei weld o yn y llun, chwaith. Ydych chi'n gyfarwydd ag o, Mr McRae?' gofynnodd Mr Mathews wrth iddo weld yr hyfforddwr yn agosáu. 'Johnnie L. Williams oedd ei enw.'

''Wy'n gwybod yn iawn pwy ydi Johnnie L. Williams!' atebodd Mr McRae. 'Roedd e'n un o'r Llewod wnaeth chwarae yn erbyn Seland Newydd flynyddoedd maith yn ôl. Roedd yn chwaraewr anhygoel o dalentog – yn ddewin ar y cae, yn ôl beth ddywedodd fy hen dad-cu wrtha i.'

'Wnaeth eich hen dad-cu ei weld yn chwarae?' gofynnodd Owain.

'Do, unwaith,' atebodd Mr McRae, ei lygaid yn gloywi wrth iddo edrych ar y llun a oedd wedi melynu gan henaint. 'Gwnaeth e greu coblyn o argraff arno fel asgellwr. 'Wy'n credu bod Johnnie L. Williams wedi chwarae dros Gymru ddwy ar bymtheg o weithiau hefyd, a sgorio cais bob tro.'

'O ddifrif?' gofynnodd Owain, ei lygaid fel soseri.

Nodiodd Mr McRae. 'Enillodd dair Coron Driphlyg hefyd, os 'wy'n cofio'n iawn,' ychwanegodd. 'Roedd e'n un o'r chwaraewyr gorau welodd Cymru erioed.'

'Yn bendant,' cytunodd Mr Mathews. 'O Gaerdydd roedd e'n dod, o'r Eglwys Newydd.'

'Mae wedi sgwennu un o'r llyfrau gorau i mi ei ddarllen erioed am sut i chwarae rygbi,' ychwanegodd Mr McRae. 'Ond cafodd ei ladd yn y Rhyfel Byd Cyntaf, ym Mrwydr Coedwig Mametz.'

'O, dyna drychineb,' meddai Owain, ei wyneb yn cymylu.

'Cafodd llawer iawn o chwaraewyr rhyngwladol Cymru eu lladd yn y Rhyfel Mawr,' meddai Mr Mathews.

'Faint?' gofynnodd Owain.

'Dwi ddim yn gwybod yn union,' atebodd Mr Mathews. 'Bydd rhaid i mi olrhain yr hanes ar y we.'

'Mae'n rhyfedd nad yw Johnnie L. Williams yn y llun hefyd,' meddai Mr McRae. 'Falle gallwch chi ddarganfod pam pan fyddwch chi ar y we, Mr Mathews?'

Wrth i'r ddau barhau â'u sgwrs, ymlwybrodd Owain draw at ei ffrindiau wrth iddyn nhw sglaffio'r darnau olaf o'r cyw iâr a'r selsig bach.

'Roedd honna'n dipyn o ergyd i Davies,' meddai Alun. 'Ceisiodd ei orau i dy anwybyddu di ond mi wyt ti hyd yn oed yn enwocach rŵan.'

'Ia, wel, wnes i benderfynu yr haf 'ma nad ydw i'n mynd i gymryd dim mwy o lol gan Davies. Mae eisiau herio bwlis fel fo. Cachgi ydi Davies yn y bôn a dwi'n meddwl os safwn ni gyda'n gilydd, na all o ddim ein bwlio ni i gyd. Gwnes i hyd yn oed ddweud wrth Mr McRae na fyddai Davies yn gwneud capten da eleni, a hynny o'i flaen o hefyd. Dwi'n meddwl bod Richie wedi cael tipyn bach o sioc – dyna pam roedd o'n trio taro yn ôl heddiw.'

'Waw, Owain, dyna ddewr,' dywedodd Rhodri, oedd wedi dioddef o dan lach Davies, fel y rhan fwyaf o fechgyn Craig-wen. 'Ond bydd yn ofalus. Mae o'n siŵr o drio dy ddal di ryw ffordd, beryg.'

'Does dim ots gen i,' wfftiodd Owain gan wenu. 'Glywaist ti'r gymeradwyaeth? Mae'r bois yn fy nghefnogi i, felly bydda i'n olreit.'

PENNOD UN AR DDEG

Wrth i'r bechgyn gerdded yn ôl at eu bws, tapiodd Owain ysgwydd Alun.

'Dyna lle dechreuodd y cwbl – dyna lle wnes i gyfarfod Dic am y tro cynta,' dywedodd gan bwyntio at y coridor a oedd yn arwain i'r stafell cymorth cyntaf.

'Pwy ydi Dic?' gofynnodd Alun.

Cochodd Owain wrth iddo sylweddoli bod cyffro'r noson, a'r wefr o ddychwelyd i Stadiwm Principality, wedi gwneud iddo rannu ei gyfrinach yn gwbl anfwriadol.

'Y ... ymm ... be dwi'n feddwl ydi pan aethon ni ar y daith o gwmpas y stadiwm ...' baglodd Owain dros ei eiriau.

'Ti wedi sôn am ryw foi o'r enw Dic o'r blaen, felly pwy ydi o?'

Oedodd Owain ac edrych ar ei draed.

'Mae hi'n stori hir ac anodd ei chredu, a dweud y gwir,' meddai, 'ond ddyweda i'r cwbl wrthot ti mewn munud.'

'Hmmm,' meddai Alun, gan edrych yn amheus ar ei ffrind. 'Ocê, beth am fynd am dro o gwmpas tir yr ysgol ar ôl i ni fynd adre? Dwi angen symud ar ôl yr holl bitsa yna,' meddai gan daro'i fol.

Dringodd y chwaraewyr rygbi yn ôl ar y bws ar gyfer y daith i Graig-wen. Eisteddodd Owain yn dawel gydag Alun yn y cefn a synnodd y ddau o weld Richie Davies a Dylan yn dringo ar y bws gyda'i gilydd, gan chwerthin a thynnu coes.

'Beth ydi gêm Davies, tybed?' meddai Alun gan gnoi cil.

'Fel arfer, mi fyddai o wedi gwneud i'r bachgen newydd grio erbyn hyn.'

'Mae Dylan eisiau lle Rhodri yn y tîm,' atebodd Owain. 'Mae'n edrych fel tasa fo'n meddwl mai ochri efo'r capten ydi'r ffordd orau i wneud hynny.'

'Ond gall hynny fod yn drychinebus!' dywedodd Alun. 'Mae bod yn y pymtheg cynta yn golygu popeth i Rhodri. Beryg na fydd ein llofft ni yn lle hapus petai Dylan yn cymryd ei le o.'

'Wn i, ond mae Dylan yn un penderfynol. Dwi'n ofni y gallai ei uchelgais fod yn broblem i ni i gyd.'

Roedd y daith yn ôl ar y bws yn un dawel, er y gellid clywed ambell ebychiad gan Davies a Dylan, oedd yn ymddwyn fel petaen nhw'n ffrindiau pennaf.

Rhoddodd Owain ei dracwisg i Ffrancon a gofyn iddo fynd â hi i'w lofft, cyn iddo fo ac Alun loncian am y caeau chwarae. Unwaith y cyrhaeddon nhw, gwibiodd Owain ar hyd y cae, gan adael Alun yn brwydro am ei anadl y tu ôl iddo. Gorweddodd y ddau ffrind ar y ddaear nes i'w hanadl ymdawelu.

'Felly beth ydi'r dirgelwch mawr 'ta?' ebychodd Alun.

'Wel, i ddechrau, mae'n rhaid i ti addo i mi na wnei di ddweud wrth neb, na dweud wrtha i 'mod i'n dwpsyn,' erfyniodd Owain. 'Alla i mo'i egluro fo, dim ond dweud wrthat ti bod beth dwi'n ei ddweud yn hollol wir.'

'Iawn, dwi'n addo, felly dweud wrtha i,' meddai Alun mewn penbleth lwyr.

'Ysbryd ydi Dic ...' dechreuodd Owain.

Chwarddodd Alun. 'Ysbryd? O, tyrd yn dy flaen, Owain.

Mae'n rhaid dy fod ti'n meddwl 'mod *i*'n ffŵl.'

'Na, dwi o ddifri,' atebodd. 'Gwnes i ei gyfarfod yn Stadiwm Principality y llynedd a daethom ni'n ffrindiau. Rhoddodd o gyngor da iawn i mi am rygbi a daeth o i weld y rownd derfynol ar Barc yr Arfau.

'Chwaraewr a gafodd ei ladd yn chwarae rygbi yno flynyddoedd maith yn ôl ydi o a bu'n crwydro rhwng y ddau le byth ers hynny. Mae o wedi gadael erbyn hyn, cofia. Y tro ola welais i o oedd jest ar ôl i ni gipio'r cwpan.'

Rhythodd Alun ar ei ffrind gorau. Agorodd a chau ei geg ychydig o weithiau wrth iddo geisio gofyn y llu cwestiynau oedd ganddo. Yna daeth y cyfan fel rhaeadr.

'Oedd o yn, wel, yn wyn fel yr eira neu yn waed i gyd fel sombi?'

'Sut cafodd o'i ladd?'

'A sut wnest ti ei weld o?'

'Wow, pwylla rŵan,' meddai Owain. 'Roedd yn edrych fel unrhyw chwaraewr rygbi arall yn ei git, er bod ei grys a'i sgidiau'n hynod hen ffasiwn. Roedd o'n edrych ychydig yn welw, am wn i, ond doedd dim gwaed arno. Cael ei anafu pan chwalodd y sgrym a disgyn ar ei ben wnaeth o. Dwi'n dal ddim yn gwybod pam ro'n i'n gallu ei weld a'i glywed o. Dywedodd o wrtha i ei fod o wedi bod yno am gant tri deg chwech o flynyddoedd, a fi oedd y person cynta i lwyddo i'w weld a siarad efo fo.

'Roedd o'n foi dymunol, cyfeillgar iawn, ond roedd o braidd yn unig, dwi'n meddwl. Des i draw yma ychydig o weithiau i siarad efo fo. Roedd o'n help mawr. Dim ond gobeithio y do i ben â'r rygbi 'leni heb ei gyngor.'

'A, paid â dweud hynna, Owain,' meddai Alun. 'Roeddet ti'n wych y llynedd, ysbryd neu beidio.'

Tapiodd Alun ei droed yn erbyn un o byst y gôl. 'Wyddost ti be, mae'r stori 'na'n un anodd i'w chredu ... Ond *dwi* yn dy gredu di, hyd yn oed os na wnaiff neb arall. Baswn i wrth fy modd yn gweld ysbryd, cofia,' aeth yn ei flaen. 'Oes 'na unrhyw siaws y basa fo'n ymddangos eto petaen ni'n dychwelyd i'r Principality neu Barc yr Arfau?'

'Dwi ddim yn meddwl,' meddai Owain. 'Dywedodd o ei fod am adael ar ddiwrnod y rownd derfynol a doedd dim sôn amdano fo yno heddiw.'

'Dydi hi ddim yn deg,' meddai Alun. 'Does yna ddim byd difyr byth yn digwydd i mi.'

'O, wn i ddim am hynny – falle y gwnei di fy nghuro i mewn ras ryw ddiwrnod,' chwarddodd Owain, gan wibio tua'r ysgol o flaen ei ffrind.

PENNOD DEUDDEG

Y diwrnod canlynol roedd gan ddosbarth Owain wers hanes gyda Mr Lawson. Ar ddiwedd y wers, dywedodd Mr Lawson eu bod yn mynd i gystadlu yng nghystadleuaeth Hanesydd Ifanc y Flwyddyn am y tro cyntaf – yn dilyn argymhelliad Mr Mathews. Roedd hon yn gystadleuaeth o fri, ac roedd gwobr hael iawn yn cael ei chynnig i'r ysgol a'r disgybl llwyddiannus, yn ogystal â thaith ar gyfer dosbarth cyfan i safle hanesyddol yn unrhyw le yn Ewrop.

'Mae Mr Mathews yn dweud wrtha i fod 'na haneswyr ifanc o fri yn eich mysg,' meddai Mr Lawson, 'ond 'wy moyn i bob un ohonoch chi gystadlu. Meddyliwch am yr hyn yr hoffech chi sgwennu amdano a gallwn drafod y syniadau yn ystod y wers nesaf.'

'Diflas,' meddai Alun gan ddylyfu gên, wrth i'r bechgyn droi'n anfodlon at eu gwaith cartref.

'Dim o gwbl,' anghytunodd Owain. 'Dwi'n hoffi hanes a gall hyn fod yn hwyl. O leiaf bydd o'n esgus i dreulio ychydig bach mwy o amser ar y cyfrifiadur.'

Wedi iddyn nhw orffen eu gwaith cartref, bu'r ddau'n cicio pêl yn ôl ac ymlaen am sbel cyn i Owain ddod â'r gêm i ben.

'Dwi am fynd i'r llyfrgell. Dwi eisiau chwilio am lyfr. Ti eisiau dod?'

'Na, dwi wedi blino'n lân,' meddai Alun. 'Dwi am fynd i orwedd ar fy ngwely.'

Brysiodd Owain draw i'r prif adeilad a sleifio i mewn i lyfrgell yr ysgol, oedd ar y llawr gwaelod, ar bwys stafell Mr Hopcyn.

Heblaw am y llyfrgellydd, hen athro Saesneg oedd wedi ymddeol o'r enw Mr Madryn, roedd y lle'n wag.

'Alla i dy helpu?' gofynnodd y llyfrgellydd.

'Gallwch, syr,' atebodd Owain. 'Dwi'n edrych am lyfr o'r enw *Popeth am Rygbi*. Cyn-ddisgybl oedd yn chwarae rygbi i Gaerdydd ydi'r awdur. Alla i ddim cofio'i enw, mae'n ddrwg gen i.'

'Hmmm, difyr. Mae gennym ni lawer o lyfrau am rygbi ond sa i'n credu 'mod i wedi clywed am hwnna. Ga i bip yn y catalog nawr.'

Byseddodd y gŵr gwallt brith drwy focs mawr oedd yn llawn o gardiau bach gwyn. Ar ôl ychydig funudau, tynnodd un allan.

'Ie, 'co fe. *Popeth am Rygbi* gan Johnnie L. Williams a W. J. Soar. Nefi, cafodd ei gyhoeddi yn 1911! 'Wy'n gobeithio nad yw e'n rhy fregus i'w ddarllen,' mwmialodd. 'Dilyna fi ...'

Cerddodd y llyfrgellydd i ben pella'r llyfrgell, at gwpwrdd llychlyd gyda drysau gwydr. Dewisodd allwedd bach o'r pentwr anferth oedd yn ei law ac agor y drws gyda gwich. Yna cydiodd mewn llyfr brown trwchus a'i roi i Owain.

'Cymer ofal o hwnna, 'machgen i. Sa i'n credu bod neb wedi dishgwl arno fe ers can mlynedd. Dyw e ddim ar gael i'w fenthyg, mae gen i ofn, felly bydd yn rhaid i ti ei ddarllen yma. 'Wy'n cau mewn deng munud, felly well i ti fod yn glou.'

Eisteddodd Owain wrth ddesg ac astudio clawr y llyfr. Roedd y teitl ac enwau'r awduron mewn llythrennau aur a bu'n rhaid i Owain sychu haen o lwch oddi ar y meingefn cyn dechrau darllen.

Yna, agorodd y llyfr a chafodd goblyn o sioc. Ar y dudalen gyntaf un roedd llun o Dic Gordon yn sefyll yn dalog yn ei git Castell-nedd, pêl rygbi dan ei gesail a gwên fel giât ar ei wyneb. Crynodd Owain, wrth i ias saethu drwyddo, fel petai rhywun wedi agor ffenest a gadael i chwa o wynt oer chwyrlïo drwy'r hen stafell.

Syllodd Owain ar y llun, ei lygaid fel soseri, cyn iddo edrych i fyny ar y llyfrgellydd oedd wrthi'n brysur yn cadw cyfrolau.

'Dic ...' sibrydodd, 'beth wyt ti'n ei wneud yn y llyfr ...'

'Dyna'n union ro'n i'n ei feddwl ...' daeth llais o'r tu ôl iddo.

Trodd Owain yn sydyn a dyna lle safai dyn ifanc gwelw wedi'i wisgo mewn cit rygbi du yn pwyso yn erbyn y cwpwrdd llyfrau.

'Dic!' ebychodd.

Edrychodd y llyfrgellydd draw. 'Wyt ti'n iawn, 'machgen i? Mae'n rhaid i ti fod yn dawel, hyd yn oed os nad oes yna neb arall yma.'

'Ddrwg gen i,' meddai Owain, 'ond ges i dipyn bach o fraw.'

'Braw? Hy, dyw e ddim yn edrych fel y math 'na o lyfr,' meddai'r llyfrgellydd yn gwynfanllyd.

Rhoddodd Owain ei ben i lawr a sibrwd o gongl ei geg: 'Sut dest ti yma, Dic? A ble wyt ti wedi bod?'

''Wy ddim yn sicr,' meddai Dic. 'Mae'n rhaid taw'r llyfr 'na sy'n gyfrifol. Falle ei fod e'n gweithio fel lamp Aladdin?'

Gwenodd Owain. 'Mae'n dweud yn y fan hyn fod Johnnie L. Williams yn ffan mawr ohonot ti,' meddai, gan bwyntio at y geiriau o dan y llun. 'Mae'n dy enwi fel un o'i arwyr rygbi ...'

'Wel, dyna beth hyfryd i'w glywed,' meddai Dic, cyn i'r llyfrgellydd dorri ar ei draws.

'Amser cau!' bloeddiodd, cyn troi at Owain. ''Wy ar agor ar ôl ysgol eto fory os wyt ti eisiau pip arall ar y llyfr,' meddai. 'Wna i ei gadw fe o dan y cownter i ti fan hyn.'

Cododd Owain a throi i ffarwelio â Dic, ond roedd yr ysbryd eisoes wedi diflannu.

PENNOD TRI AR DDEG

Daeth nifer o fechgyn i'r treialon dan 14. Doedd rhai ohonyn nhw ddim yn gyfarwydd â'r rheolau, ond roedden nhw'n awyddus i roi cynnig ar y gêm a oedd wedi ysbrydoli bechgyn Craig-wen ar Barc yr Arfau y flwyddyn cynt.

Roedd Mr Charles yno hefyd yn trefnu a rhannu'r chwaraewyr yn bedwar tîm, ond aeth Mr McRae â'r ddau dîm gorau i'r maes chwarae hŷn ar gyfer gêm ugain-munud-bob-ochr. Roedd y tîm A, a wynebai'r Bs, yn cynnwys y pymtheg cyntaf oedd wedi chwarae yn y cwpan dan 13. Felly roedd Owain yn ganolwr mewnol, Richie Davies yn safle'r maswr a Rhodri yn fewnwr.

Fel bachgen newydd, allai Dylan ddim fod wedi disgwyl mwy na chael bod yn y tîm C, oedd yn mynd i herio'r Ds, ond hyd yn oed wedyn, doedd o ddim yn rhy hapus.

Roedd y rhan fwyaf o'r bechgyn ychydig bach yn rhydlyd, ond roedd y ffaith fod Owain wedi treulio'r haf yn chwarae pêl-droed yn gaffaeliad mawr; llwyddodd i dorri'n rhydd gwpwl o weithiau, a gwnaeth un rhediad gwych gan ochrgamu a sicrhau trosiad o dan y pyst.

'Da iawn, Morgan,' bloeddiodd Mr McRae. 'Dere i wneud dy gic draw fan yma ger yr ystlys. Mae hi'n rhy hawdd o dan y pyst.'

Roedd Owain braidd yn ddig fod ei waith da wedi cael ei ddiystyru ond wnaeth o ddim cwyno a cherddodd draw at Mr McRae. Sodrodd y bêl yn ofalus a gyda rhediad byr a chic rwydd, gyrrodd y bêl yn uchel dros y bar a thrwy ganol y pyst gwyn.

'Waw, dwi'n hoffi dy steil di,' meddai Mr McRae. 'Mae'n rhaid dy fod ti'n ymarfer eitha tipyn.'

'Ydw, syr,' atebodd Owain. 'Bues i'n ymarfer gartre dros yr haf.'

'Grêt, dyna beth yw ymroddiad. Nawr cer yn ôl i dy safle.'

Roedd y ddwy gêm yn cael eu chwarae ar yr un pryd, felly pan ddaeth hi'n hanner amser, cerddodd Mr Charles draw i siarad gyda Mr McRae.

'Mae'r crwt 'na o Ben-y-bont ar Ogwr yn fewnwr reit dda,' meddai'n dawel. 'Efallai y byddai'n syniad rhoi cyfle iddo yn y Bs – dyw'r David Vincent 'na'n fawr o beth, a 'wy'n sicr y gallai Jones gystadlu yn erbyn Rhodri Ceredig am ei safle.'

'Iawn,' atebodd Mr McRae. ''Wy'n cytuno am Vincent ond 'wy'n credu bod gan Ceredig dalent naturiol.'

Anfonodd Mr Charles Dylan draw i'r maes chwarae hŷn a chyrhaeddodd y bachgen newydd gyda gwên fel giât.

'S'mai, bois,' meddai wrth gymryd ei le. 'Dylan ydw i a dwi'n chwaraewr reit dda. Jest gwnewch yn siŵr 'mod i'n cael digon o feddiant.'

Rhythodd y Bs ar y newydd-ddyfodiad powld yma ac roedd ei hyfdra hyd yn oed yn fwy doniol gan mai prin y cyrhaeddai ysgwyddau'r lleill.

Edrychodd Rhodri draw at Owain wrth iddo baratoi i ailddechrau'r ail hanner. Roedd o'n amlwg yn anhapus.

Pan ddaeth y toriad nesaf yn y chwarae, rhoddodd Owain ei law ar ysgwydd Rhodri. 'Ymlacia, Rhodri. Ti piau'r crys ar hyn o bryd. Ry'n ni i gyd yn gwybod beth alli di ei wneud ac mae gen ti fedal y cwpan dan 13 i brofi hynny.'

'Diolch, Owain, ond dydi hynny'n golygu dim. Wedi'r cyfan, roedd McRae ben arall y byd pan enillon ni,' meddai'n ddigalon.

Dechreuodd yr As danio yn yr ail hanner, diolch i basio cyflym gan Rhodri a Richie Davies, a gan fod y ddau wedi llwyddo i gicio'n dda i gorneli eu gwrthwynebwyr, fe enillon nhw'n rhwydd.

Ar ôl i'r gemau ddirwyn i ben, galwodd Mr McRae ar y pedwar tîm i ymgasglu o'i gwmpas.

'Reit, bois, rydych chi'n chwarae'n dda iawn o ystyried ei bod hi'n gynnar yn y tymor. Mae'r ffaith eich bod chi mor drefnus wedi creu argraff arbennig arna i a 'wy'n hyderus iawn y gallwn ni barhau i ennill tir dros y gaeaf. 'Wy wedi bod yn canolbwyntio ar yr As ond fe fydda i'n cadw llygad barcud ar y ffordd y mae gweddill y timoedd yn datblygu hefyd.

''Wy'n gredwr cryf mewn cael y bechgyn iawn yn y safleoedd iawn mewn tîm, felly mae'n bosib y bydda i'n siarad gyda rhai ohonoch chi am newid safleoedd. Ond 'wy eisiau dweud 'mod i wedi dewis capten ar gyfer 'leni. 'Wy'n ffyddiog fod ganddo fe'r gallu i fod yn arweinydd gwych. Felly 'wy eisiau i chi i gyd ei gefnogi, achos dyw hi byth yn swydd hawdd. 'Wy eisiau iddo fe ddod yma nawr i ddweud gair am y math o gapten y mae e eisiau bod. Felly dere lan, Owain Morgan!'

Oedodd Owain, ac agor ei geg, er na ddaeth smic ohoni. Ceisiodd ei orau glas i beidio ag edrych i gyfeiriad Richie, ond allai o ddim peidio, a chafodd edrychiad mileinig am ei drafferth.

Camodd ar bwys Mr McRae ac ysgwyd ei law, yna pwyntiodd hwnnw at y saith deg o fechgyn oedd yn gwylio'r datblygiadau'n eiddgar.

'Dweud wrthyn nhw, Owain. Ti sydd wrth y llyw.'

'Ym, ym, wel ...' Wyddai Owain ddim beth i'w ddweud. Edrychodd i lawr ar Alun, Dylan a Rhodri oedd yn gwenu'n llydan.

'Wel, diolch, syr, am roi'r swydd bwysig i mi. Mae hi'n fraint ac yn anrhydedd, a ... wel, dwi'n gobeithio y galla i eich helpu i gyflawni yr hyn rydych chi eisiau ei gyflawni. Dwi'n gobeithio y gwnewch chi i gyd fwynhau chwarae dros yr ysgol eleni a gweithio'n galed iawn yn yr ymarferion. Mae'n bwysig bod pawb yn dangos awydd a dangos arweiniad. Mae gennym ni chwaraewyr da yma, felly dwi'n gobeithio y gwnaiff y Bs a'r Cs weithio'n galed hefyd. Gyda'r Cs wnes i ddechrau llynedd, felly gall unrhyw un lwyddo trwy ddal ati.'

Rhoddodd y gorau i'w anerchiad a cherdded yn ôl at ei ffrindiau.

'Diolch, Owain,' meddai Mr McRae. 'A nawr, dwi eisiau i'r timau rannu a dechrau gweithio ar eu ffitrwydd ...'

Ar ôl i'r ymarfer ddod i ben, aeth Rhodri ac Alun i chwilio am Owain a chydgerddodd y tri tuag at y stafell ymarfer.

'Da iawn ti, Owain,' meddai Alun.

'Ie wir,' cytunodd Rhodri, 'mae'n newyddion grêt. Beryg bydd fy safle i yn y tîm cynta yn saff rŵan!'

Stopiodd Owain ac edrych ar Rhodri. 'Ddrwg gen i Rhodri, ond alli di ddim cymryd hynna yn ganiataol. Yr hyfforddwr fydd yn dewis y tîm, ac er bydd cyfle i mi leisio fy marn o bosib, alla i ddim dangos unrhyw ffafriaeth. Rhaid i ni ddewis y tîm gorau.'

Brathodd Rhodri ei wefus a gwgu, cyn brasgamu o flaen y ddau arall.

'Ro'n i'n amau y byddai 'na drafferth,' ochneidiodd Owain. 'Doedd Dylan ddim yn rhy ddrwg heddiw ond baswn i'n bendant yn cadw Rhodri yn y tîm. Dwi'n gobeithio y gwnaiff Mr McRae cytuno efo mi.'

Yr eiliad honno, daeth Dylan atyn nhw. 'Wel, capten, beth oeddet ti'n ei feddwl? Dwi'n reit dda, tydw?' gofynnodd gan suo o'u cwmpas fel rhyw hen wenynen fawr.

'Wyt, ti'n dda iawn,' cyfaddefodd Owain, 'ond fel dywedais i wrth Rhodri, nid fi fydd yn pigo'r timoedd. Bydd rhaid i bawb ymarfer yn galed a dwi'n ffyddiog y bydd Mr McRae yn deg.'

'Ocê, dwi'n deall,' meddai Dylan. 'Dwi'n hoff iawn o Rhodri ond dwi'n bendant yn well na fo, a dim ond ers tua blwyddyn dwi'n chwarae. Bydda i'n bendant yn gallu cael y gorau arno ar ôl ychydig bach mwy o ymarfer.'

'Wel, gwna di fel y mynni,' mwmialodd Owain, 'ond cadwch fi allan o'r ddadl. Dwi'n gorfod byw efo'r ddau ohonoch chi.'

'Paid â phoeni, Owain,' meddai Alun. 'Fydda i'n sicr ddim yn rhoi pwysau arnat ti i gael lle yn y pymtheg cynta. Gollyngais i'r bêl bob tro y ces i hi yn y Ds. Bydda i'n lwcus os gwnân nhw 'ngwahodd i atyn nhw i ymarfer ...'

'Pawb at y peth y bo, Alun, ac mae 'na lawer o hwyl gyda'r Cs a'r Ds,' meddai Owain gan godi calon ei ffrind. 'A wyddost ti byth pryd wnaiff 'na ddos o'r frech goch eu taro ac y byddi di wedyn yn nhîm y cwpan dan 14.'

Gwelwodd Alun. 'O na, dwyt ti ddim yn meddwl bod hynny'n debygol o ddigwydd, nag wyt?'

'Mae'n bosib,' meddai Owain, 'ond byddai'n rhaid i tua chant a hanner o hogiau fod yn sâl cyn iddyn nhw ofyn i ti!'

Gwyrodd Owain wrth i Alun anelu slap chwareus at ei ben a gwibio i'r stafell newid, cyn i'r asgellwr clwyfedig roi ail gynnig arni.

Ar ôl te, crwydrodd Owain ac Alun i'r stafell gyffredin i wylio gêm bêl-droed ar y teledu.

'Mae Mr Lawson yn dweud ei bod yn well ganddo bêl-droed – wyt ti'n meddwl y gwnaiff o ystyried ffurfio tîm?'

'Pam na wnei di ei holi?' gofynnodd Owain. 'Ond dwi'n amau na fyddai Mr Hopcyn a'r gweddill yn rhy hapus i gael unrhyw beth fyddai'n tarfu ar y rygbi.'

'Hyd yn oed wedyn, mae 'na lwyth o fechgyn â diddordeb

mewn pêl-droed ac os na fyddan nhw'n llwyddo i chwarae mewn cynghrair neu gemau cwpan, fyddai o ddim yn amharu ar neb na dim,' dadleuodd Alun. 'Dwi am ofyn i Mr Lawson yn y bore.'

'Iawn,' meddai Owain. 'Ond fydd gen i ddim amser i chwarae pêl-droed a rygbi ...'

'Pwy ofynnodd i ti?' torrodd Alun ar ei draws. 'Bydd angen i gant a hanner o fechgyn gael y frech goch cyn y byddet ti'n cael dy ddewis i dîm cynta Clwb Pêl-droed Craig-wen ...'

'O, ha ha, doniol iawn,' meddai Owain dan chwerthin. Cuddiodd y ffaith ei fod ef ei hun yn dipyn o bêl-droediwr gyda thîm Dreigiau Dolgellau, ond roedd yn benderfynol o roi ei holl sylw i rygbi yng Nghraig-wen.

PENNOD PYMTHEG

Roedd Mr Lawson mewn hwyliau da iawn y bore wedyn pan gerddodd i mewn i'r stafell ddosbarth.

'Reit, bois,' gwaeddodd, 'heddiw yw'r diwrnod ry'n ni'n penderfynu ar ein prosiectau ar gyfer cystadleuaeth yr Hanesydd Ifanc. 'Wy'n cymryd eich bod chi i gyd wedi dewis pwnc?'

Cafodd ei gyfarch gan bum rhes o wynebau di-glem. Yna trodd y wynebau'n binc, cyn dangos gwahanol raddfeydd o chwithdod.

'A, 'wy'n gweld. Iawn, gadewch i ni drafod ychydig o syniadau ac yna bydd popeth wedi'i sortio erbyn diwedd y wers. Pwy sy'n hoffi hanes Cymru?'

Aeth llond dwrn o ddwylo i'r awyr, ac wedi i Mr Lawson wneud ychydig o awgrymiadau cytunodd y bechgyn ar bynciau unigol ar gyfer eu prosiectau.

Aeth o gwmpas y dosbarth gan sicrhau fod gan bob un o'r bechgyn bwnc i weithio arno. Owain oedd yr enw olaf ar ei restr a safodd Mr Lawson ger ei ddesg.

'Reit, Morgan, beth fydd dy bwnc di? Dwyt ti ddim wedi dangos unrhyw ddiddordeb yn yr un o'r cymeriadau na'r digwyddiadau ry'n ni wedi'u trafod hyd yma.'

Syllodd Owain ar yr athro. Roedd o wedi colli'r rhan fwyaf o'r wers gan ei fod wedi bod yn breuddwydio – roedd ei gyfrifoldeb newydd fel capten, ynghyd â dychweliad Dic, wedi'i lorio a doedd o ddim wedi bod yn talu sylw.

'Wel, oes 'na unrhyw gymeriad hanesyddol yr hoffet ti ei astudio?' gofynnodd Mr Lawson.

'Oes, syr,' meddai Owain gan feddwl yn gyflym. 'Dwi wedi bod yn darllen am y Cymro enwog yna gafodd ei ladd yn ystod y Rhyfel Byd Cyntaf ac roeddwn i'n meddwl y byddai o'n destun diddorol.'

'Hmmm, gallai hwnna fod yn gyfnod difyr iawn i'w ymchwilio,' atebodd yr athro. 'Beth yw enw dy gymeriad?'

'Johnnie L. Williams,' atebodd Owain, 'bu'n chwarae rygbi i Gaerdydd ...'

''Wy'n gwybod yn gwmws pwy yw e,' torrodd Mr Lawson ar ei draws. 'A 'wy'n cytuno ei fod e'n fachan difyr iawn. Ond 'wy ddim yn sicr a yw e'n bwnc addas i'w astudio. Dim cystadleuaeth sgwennu traethawd chwaraeon yw hon.'

'Dwi eisoes wedi cael gafael ar ei lyfr o yn y llyfrgell,' meddai Owain, gan obeithio y byddai ei frwdfrydedd yn newid barn yr athro.

'Wir? Iawn, ond cadwa'r rhan rygbi yn gryno reit,' meddai. 'Nage dosbarth ysgrifennu am chwaraeon yw hwn. Canolbwyntia ar hanes ei fywyd a'i hanes fel milwr.'

'Iawn, syr. Erbyn pryd dylen ni gwblhau'r traethawd?'

Dychwelodd Mr Lawson i flaen y dosbarth.

'Nawr 'te, fechgyn, ga i'ch sylw chi plis? Ry'ch chi i gyd wedi cytuno ar y pynciau ry'ch chi'n mynd i'w hymchwilio. Bydd gennych bum wythnos i wneud eich gwaith ymchwil. Yna byddwch yn treulio pythefnos yn ysgrifennu eich traethodau. Mae dyddiad cau'r gystadleuaeth jest ar ôl Calan Gaeaf, felly 'wy moyn i chi ddechre ar y gwaith yn syth. 'Wy'n falch o gael dweud bod o leiaf un ohonoch chi eisoes wedi dechrau ar y gwaith,' meddai gan droi at Owain a gwenu.

Ebychodd Richie Davies wrth i weddill y dosbarth rythu ar Owain. Cochodd yntau.

'Crafwr,' hisiodd Gwion Prothero.

'Iawn, dyna ddigon,' meddai'r athro. 'Sdim o'i le ar ddangos bach o frwdfrydedd dros y pwnc. Nawr, dim ond pum munud sy'n weddill, felly unrhyw gwestiynau?'

'Syr, syr,' meddai Alun gan godi ei law. 'Ydych chi'n cofio sôn yn eich dosbarth cynta y byddech chi'n gwneud rhywbeth am y ffaith nad oes gennym ni dîm pêl-droed yng Nghraig-wen? Wel, ydych chi am wneud hynny?'

'Ymmm ... ' oedodd Mr Lawson, 'byddai'n rhaid i mi holi'r prifathro yn gynta. Oes gan dipyn ohonoch chi ddiddordeb mewn pêl-droed?'

Cododd pawb eu llaw, bron.

'Ocê, ond 'wy ddim moyn iddo fe ddatblygu'n rhywbeth rhy fawr. Falle gallwn ni ddechre 'da'r bechgyn sydd ddim yn chwarae rygbi. Gadewch y mater 'da fi.'

PENNOD UN AR BYMTHEG

Roedd Rhodri yn dal i fod mewn hwyliau drwg, gan fod ei safle yn y pymtheg cyntaf o dan fygythiad. Roedd o'n dal i siarad â Dylan ond roedd o'n anwybyddu Owain, ac roedd hyn yn peri cryn benbleth i'r capten newydd.

'Wn i ddim beth mae o'n disgwyl i mi ei ddweud na'i wneud,' cwynodd Owain wrth Alun un bore dydd Sul wrth i'r ddau ddiogi yn eu llofft. 'Dim fi sy'n dewis y tîm ac mae gan Mr McRae syniadau pendant iawn am yr hyn mae o ei eisiau. Ac mae Mr Charles yn brolio Dylan bob tro dwi'n ei weld o.'

'Cadwa allan o'r ffrae, Owain,' meddai Alun. 'All Rhodri fod yn hunanol iawn ar brydiau. Mae'n well i ti adael iddo fo bwdu nes bod y tîm cynta yn cael ei ddewis.'

'Wn i, wn i,' meddai Owain. 'Gawn ni newid y pwnc? Wnes i ddweud wrthat ti beth ddigwyddod pan es i draw i'r llyfrgell echnos?'

'Na,' atebodd Alun.

'Es i nôl y llyfr 'na gan Johnnie L. Williams. Dwi'n gwneud y prosiect ar ei hanes. Mae'r llyfr yn hen ofnadwy a fedrwn i ddim credu'r peth pan wnes i ei agor a gweld llun o Dic Gordon ynddo!'

'Pwy yw Dic?'

'Dic. Yr hen chwaraewr. Yr ysbryd,' meddai Owain.

'Waw, am gyd-ddigwyddiad! Na, mae o'n fwy na chyd-ddigwyddiad. Mae o'n rhoi ias i rywun.'

'Ydi, ond yr eiliad agorais i'r llyfr, pwy wnaeth ymddangos ond Dic ei hun ...'

'Welaist ti ysbryd yng Ngholeg Craig-wen?!' tagodd Alun.

'Do, ond wnaeth o ddim aros yn hir achos wnaeth y Mr Madryn 'na ein styrbio ni. Dwi am fynd i weld a ddaw o'n ôl rŵan. Wyt ti eisiau dod i'r llyfrgell?'

'Wrth gwrs!' meddai Alun. 'Gad i mi nôl fy hwdi.'

Aeth y ddau draw i'r llyfrgell a gofynnodd Owain i'r llyfrgellydd am y llyfr rygbi.

Crwydrodd y ddau i gefn y stafell, gan geisio'u gorau i beidio ag edrych yn rhy amheus. Rhoddodd Owain y llyfr ar y bwrdd a'i agor ar y dudalen deitl.

'Mae hynna'n anhygoel,' meddai Alun. 'Rŵan, sut wyt ti'n gwneud i'r ysbryd ymddangos?'

'Wn i ddim,' meddai Owain. 'Wnaeth o jest digwydd y tro dwytha.'

'Falle na wnaiff o ymddangos gan fy mod i yma?'

'Wel, mi wnaeth o ddweud nad oedd neb wedi medru ei weld o mewn cant tri deg chwe blynedd, felly falle fod 'na rywbeth amdana i sy'n fy ngalluogi i'w weld o – ond dim ond pan dwi ar fy mhen fy hun.'

'Ond beth am y rownd derfynol?' gofynnodd Alun. 'Roedd 'na filoedd yno y diwrnod hwnnw ac roeddet ti'n dal i allu ei weld o, doeddet?'

'Dwi ddim yn deall y peth chwaith,' meddai Owain. 'Dim fi sy'n gwneud y rheolau ar gyfer hyn.'

Ceisiodd y ddau ysgwyd y llyfr a'i rwbio, ond doedd dim sôn am Dic. Gostyngodd Owain ei ysgwyddau'n siomedig a dychwelyd at y cownter.

'A diolch i ti am hwn, fy machgen i. Fyddi di ei angen e 'to?' holodd y llyfrgellydd.

'Byddaf,' atebodd Owain. 'Dwi'n gwneud prosiect ar yr awdur ar gyfer cystadleuaeth yr Hanesydd Ifanc.'

'Hmmm,' meddai'r llyfrgellydd. ''Wy'n gorfod mynd bant am ychydig o wythnosau a 'wy ddim yn sicr pa mor aml bydd y llyfrgell ar agor yn ystod fy absenoldeb gan 'mod i'n dibynnu ar wirfoddolwyr. Ond ti wedi bod yn garcus iawn o'r llyfr 'ma a 'wy'n sicr y gwnei di barhau i ofalu amdano. Felly wna i ganiatáu i ti ei fenthyg e dros y cyfnod 'wy bant. Does neb wedi edrych arno fe ers degawde, felly 'wy'n siŵr na wnaiff neb gonan,' meddai gan wenu.

Crwydrodd Owain ac Alun yn ôl i'w llofft lle gorweddai Rhodri'n ddigalon ar ei wely, gyda chlustffonau ei iPad yn ei glustiau. Rhoddodd y ddau nòd iddo, ond prin y gwnaeth eu cydnabod.

Bownsiodd Dylan i mewn i'r stafell y tu ôl iddyn nhw'n edrych yn falch iawn ohono'i hun.

'S'mai, bois!' rhuodd. 'Ydi bob dim yn edrych yn addawol ar gyfer y gêm wythnos nesa? Pryd caiff y tîm ei ddewis?'

Tynnodd Rhodri y clustffonau a chodi o'r gwely. 'Cawn ni wybod yn ddigon buan. Caiff taflen ei rhoi ar yr hysbysfwrdd i lawr y grisiau. Falle galli di gael rhywun sy'n medru darllen i dy helpu i'w deall, y cythrel ...'

Llamodd Dylan ar draws y stafell fel blaidd ffyrnig. Cydiodd yn Rhodri gerfydd ei wddf a rhuo yn ei wyneb.

'Pwy sy'n gythrel? Pwy sy'n gythrel?' bloeddiodd.

Cydiodd Owain yn ysgwydd Dylan a cheisio ei dynnu'n ôl. 'Gollwng o RŴAN, Dylan!'

Trodd Dylan a chrechwenu ar Owain.

'Ry'ch chi i gyd yr un fath i lawr yn fan hyn, Morgan. Dim amser i'r bechgyn o Ddolgellau, ia?'

Gollyngodd Dylan Rhodri, troi a cherdded ymaith. 'Paid BYTH â gwneud hynna eto, Ceredig, neu wna i hanner dy ladd di. A ti'n gwybod y galla i wneud hynny hefyd.'

Yr eiliad y gadawodd Dylan, gorweddodd Rhodri ar ei wely, rhoi'r clustffonau yn ôl yn ei glustiau, a throi ei gefn ar ei ffrindiau.

PENNOD
DAU AR BYMTHEG

Tynnodd y ffrae yn y llofft flewyn o drwyn Owain, felly penderfynodd ddianc. Cipiodd *Popeth am Rygbi* o'i locyr a gadael heb ddweud gair.

Roedd yn flin gyda'i ddau ffrind, ond gwyddai fod yn rhaid iddo gadw'n glir o'r gwrthdaro gan mai ef oedd y capten.

Chwyrnodd ar ddisgybl iau a gamodd i'w lwybr, cyn dechrau brasgamu am y gornel bellaf, ddistawaf ar dir yr ysgol. Yma, ar lan y nant fyrlymus, y daeth o hyd i'r perlysiau a'i helpodd i wella o'i anaf cyn y gêm gwpan y flwyddyn cynt.

Eisteddodd Owain i lawr ar graig, agor y llyfr a darllen paragraff neu ddau yn gyflym cyn iddo sylweddoli nad oedd yn canolbwyntio ar y geiriau o gwbl. Roedd angen iddo ymlacio. Caeodd ei lygaid a mwynhau sŵn y dŵr, a hithau'n ddiwrnod hydrefol, mwyn. Yna tarfodd llais rhyfedd ar y distawrwydd.

'Shwmai, gw'boi. 'Wy'n credu 'mod i'n gyfarwydd â'r llyfr rwyt ti'n ei ddarllen. Ble gefaist ti afael yn yr hen beth 'na?' gofynnodd dyn a safai yr ochr arall i'r nant.

Edrychodd Owain yn fanwl arno. Roedd ganddo wallt du trwchus a gwisgai iwnifform wlân drom.

'Yn llyfrgell yr ysgol. Dwi'n gwneud prosiect ar un o'r awduron,' eglurodd.

'Wel, mae hynna'n ddifyr,' gwenodd y dyn. 'Ar Billy Soar wyt ti'n gwneud y prosiect?'

'Ymm, na, ar y llall. Johnnie L. Williams,' meddai Owain. 'Pam ry'ch chi'n holi?'

'Achos, gw'boi, mae Capten Johnnie L. Williams o'r Ffiwsilwyr Cymreig yn sefyll o dy flaen di!'

Rhythodd Owain, ddim yn siŵr iawn beth i'w ddweud nesaf. Roedd o eisoes yn amau fod ganddo ryw fath o ddawn gweld ysbrydion, a doedd o ddim wedi'i ysgwyd cymaint gan yr ymddangosiad, yn dilyn ei brofiadau ym Mharc yr Arfau y llynedd.

'Ro'n i'n meddwl eich bod chi'n edrych yn reit gyfarwydd,' meddai. 'A chi ydi Johnnie L. Williams – wir yr?'

'Wel, dyna pwy *oeddwn* i,' atebodd y dieithryn. 'Mae'n siŵr taw beth fyddet ti'n ei alw yn ysbryd ydw i nawr ... Ble yn gwmws ydw i? Mae dy acen yn gyfarwydd ond ti'n bendant ddim yn dod o Ffrainc.'

'Na. Ry'ch chi yng Nghymru. Ysgol breswyl o'r enw Craig-wen ydi fan hyn. Mae hi yng Nghaerdydd.'

'Cymru? Nefi, yn yr Eglwys Newydd y cefais i fy magu, wyddost ti.'

Rhythodd Owain wrth i'r ysbryd eistedd i lawr ar graig arall, yr ochr bellaf i'r nant.

'Sut daethoch chi i fan hyn?' gofynnodd Owain.

'Pwy a ŵyr,' meddai Johnnie. ''Wy wedi cael amser digon derbyniol ers i fwled Almaenig fy saethu a'm lladd 'nôl yn 1916. Wnes i grwydro o gwmpas hen feysydd cad Ewrop am ychydig, yn cwrdd â gormod o hen gyfeillion, a 'wy wedi ymweld â chaeau rygbi bob hyn a hyn, pan o'n i'n awchu i weld y gêm wych. Ond dyma'r tro cyntaf i mi fod yn ôl yng Nghymru. Dyw e ddim yn dishgwl fel petai'r hen le wedi newid rhyw lawer ...'

'Wel, dydych chi heb weld fawr ohono, yn cuddio yn fan hyn mewn cornel ar dir yr ysgol. Bydd sawl peth wedi newid, dwi'n siŵr.'

'Ydyn nhw'n dala i chwarae rygbi yma?' gofynnodd y cyn-chwaraewr rhyngwladol.

'Ydyn,' atebodd Owain.

'O, da iawn. Ro'n i'n arfer bod yn gapten ar Gymru rhwng 1909–1910.'

'Dwi'n gwybod,' meddai Owain. 'Welais i lun o'ch tîm ar ôl i chi guro'r Alban. Ond doeddech chi ddim ynddo fo, chwaith.'

'Yn anffodus, ro'n i wedi cael anaf y diwrnod hwnnw ac ro'n i'n tu hwnt o siomedig 'mod i ddim wedi cael y cyfle i chwarae. Ar Barc yr Arfau roedden ni'n arfer chwarae ers stalwm. Ydi'r hen le'n dala i sefyll, tybed?'

'Ydi, ond maen nhw wedi codi stadiwm newydd sbon danlli wrth ei ymyl. Stadiwm Principality. Yn y fan honno y gwelais i lun o'ch tîm chi. Mae o'n crogi ar y wal.'

'O ddifri? Wel, mae hynna'n ardderchog. Ro'n i'n meddwl bydden nhw wedi hen anghofio am bobl fel Johnnie L. Williams a Billy Soar. Felly, beth yw hyn am brosiect?'

Eglurodd Owain yr hyn roedd o'n bwriadu ysgrifennu amdano ar gyfer cystadleuaeth yr Hanesydd Ifanc ac wrth iddo siarad, cafodd syniad.

'Mae gen i'r llyfr yma sy'n sôn am y rygbi ac mae 'na lwyth o bethau amdanoch chi ar y we – o, wna i egluro beth yw hwnnw yn nes ymlaen. Ond alla i ddim dod o hyd i fawr o ddim byd am eich cyfnod yn ymladd yn y rhyfel, ac ar hynny mae'r athro am i mi ganolbwyntio. Tybed fedrwch chi fy helpu?'

'Mae hynna'n swnio'n deg,' meddai Johnnie. ''Wy'n meddwl y gwna i aros fan hyn am sbel. 'Wy'n hoff iawn o Gaerdydd a 'wy'n falch eich bod chi'n dala i chwarae rygbi yma hefyd. Jiw, falle gallen i gael jobyn fel hyfforddwr?' Rhoddodd winc i Owain.

PENNOD DEUNAW

Roedd pen Owain yn dechrau brifo wrth iddo gerdded yn ôl i'r llofft. Y cwbl wnaeth ei ymdrech i ddianc oedd rhoi rhywbeth hyd yn oed mwy cymhleth iddo i'w ystyried. Roedd o'n falch bod Johnnie wedi cytuno i'w helpu gyda'i brosiect – ond pam ar wyneb y ddaear roedd o wedi troi'n fagned i chwaraewyr rygbi marw mwyaf sydyn?

'Wyt ti'n iawn, Owain?' gofynnodd Alun. 'Ti'n edrych fel petaet ti wedi gweld ysbryd! O, ddrwg gen i, dyna'r peth anghywir i'w ddweud wrthat ti, o bawb!' meddai gan dynnu ei goes.

'Wel, a dweud y gwir, dwi wedi gweld ysbryd,' sibrydodd Owain. 'Un newydd hefyd.'

'Ti ddim o ddifri?' atebodd Alun, gan ofalu na allai Rhodri ei glywed. Roedd ei glustffonau yn dal yn ei glustiau ac edrychai fel petai o wedi syrthio i gysgu.

'Ydw,' meddai Owain. 'Ond dwi ddim eisiau trafod y peth. Mae'r holl beth yn rhy od.'

Gorweddodd ar ei wely a chau ei lygaid. Byddai'n rhaid iddo siarad gyda Mr McRae yfory er mwyn gweld pwy roedd o'n ystyried ei roi yn safle'r mewnwr. Roedd ymosodiad Dylan ar Rhodri wedi'i ddychryn gan ei fod wedi dangos ochr arall iddo. Gallai'r math yna o dymer fod yn beryglus.

Ar ôl y wers hanes y diwrnod canlynol, gofynnodd Mr Lawson i Owain aros ar ôl y wers, er mwyn iddo gael gair.

''Wy'n clywed dy fod ti wedi bod yn gwneud llawer o

waith ymchwil ar Johnnie L. Williams,' meddai. 'Roedd Mr Madryn yn dweud wrtha i dy fod ti wedi cael gafael ar ei lyfr e ar rygbi.'

'Do, syr,' atebodd Owain. 'Mae'n ddiddorol ofnadwy, er mai dim ond canolbwyntio ar y rygbi mae o. Dwi'n cael trafferth dod o hyd i unrhyw wybodaeth am beth wnaeth o yn y rhyfel, ac ati.'

'Iawn, wel, galla i dy helpu di gyda hynna,' meddai Mr Lawson. ''Wy'n gwybod am nifer o wefannau da all roi arweiniad i ti.'

Daeth cnoc ar y drws a daeth Mr McRae i mewn i'r stafell.

'Bore da, Mr Lawson, ac Owain hefyd. Sut mae dy waith ymchwil di'n mynd?' holodd.

'Iawn, diolch, syr,' atebodd Owain. 'Roedd Williams yn ddyn difyr ofnadwy – a dwi wedi darganfod pam nad oedd o yn y llun ym Mharc yr Arfau hefyd.'

'Do wir? Da iawn. Pam felly?'

'Roedd o wedi cael anaf, felly chafodd o ddim cyfle i chwarae.'

'Sut wnest ti ddarganfod hynny?' gofynnodd Mr McRae.

'Johnnie ei hun ddywedodd wrtha i,' meddai Owain, heb sylweddoli beth roedd o newydd ei ddweud. 'Be dwi'n ... be dwi'n feddwl ... ydi 'mod i wedi darllen hynny mewn llyfr.'

Syllodd y ddau ŵr o Seland Newydd ar ei gilydd mewn penbleth, cyn troi at Owain.

'Mmm, iawn, Morgan. Dala 'mlaen gyda'r gwaith da a rho wybod pan wyt ti eisiau arweiniad,' meddai Mr Lawson. 'Oeddech chi moyn gair, Mr McRae?'

'Nag oeddwn, Greg. Eisiau siarad efo Owain oeddwn i,'

atebodd yr hyfforddwr. 'Am y tîm ...' meddai gan roi winc i'r disgybl.

Pan adawodd Mr Lawson i fynd am hoe i'r stafell athrawon, aeth Mr McRae ac Owain allan i'r cae rygbi.

''Wy mwy neu lai wedi penderfynu pwy fydd yn y tîm wythnos nesaf,' meddai, 'ond 'wy'n dal i gael fy nhynnu ddwy ffordd am y mewnwr. Mae Rhodri yn ffitio i mewn yn dda, ac yn bendant mae'n well chwaraewr tîm, ond mae gan Dylan lawer mwy o ddawn ac mae ganddo bâr o ddwylo grêt. 'Wy wir yn meddwl gallai o roi dimensiwn ychwanegol i ni, yn enwedig gan 'mod i eisiau i chi chwarae y bumed ran o'r wyth cynta.'

'Beth ydi hwnna, syr?' holodd Owain.

'Y bumed ran o'r wyth cynta? O, 'wy'n cadw i anghofio eich bod chi yng Nghymru yn byw yn Oes y Cerrig o ran rygbi! Ti'n gwybod – ry'ch chi'n ei alw fe'n "faswr". 'Wy eisiau i ti wisgo crys rhif 10 a dwi am roi Richie Davies yn ôl yn rhif 12,' eglurodd yr hyfforddwr. ''Wy wedi gwylio fideo'r gêm gwpan dan 13 dair gwaith erbyn hyn a chafodd y tîm egni newydd pan est ti i'r safle wedi i Davies gael ei anafu. Beth yw dy farn di?'

Syllodd Owain ar ei draed am ychydig eiliadau, cyn codi ei ben.

'Ry'ch chi'n iawn, beryg,' meddai, 'ond fydd Davies ddim yn hapus a bydd o'n siŵr o wneud fy mywyd i'n uffern. A bod yn onest, dwi heb gael fawr o brofiad o chwarae yn rhif 10, ond bydda i'n iawn.

''Wy ddim yn sicr beth ddylech chi ei wneud am rif 9,' aeth yn ei flaen. 'Mae Dylan yn awyddus iawn i chwarae yn y safle ac mae pethau eisoes wedi mynd yn draed moch ... ac mae'r ddau yn rhannu llofft efo fi.'

'O, galla i ddychmygu nad yw hynny'n beth hawdd,' meddai Mr McRae. 'Tria gadw pethau dan reolaeth ond bydd yn rhaid i mi wneud penderfyniad cyn yr ymarfer fory.'

PENNOD
PEDWAR AR BYMTHEG

Roedd Owain ar bigau eisiau osgoi Dylan a Rhodri, ond roedd o'n amhosib, ac yntau'n rhannu stafell ddosbarth a llofft gyda'r ddau. Dylan wnaeth fynd i siarad gydag o'n gyntaf, a hynny wedi i wersi'r dydd ddod i ben.

'Edrycha, Owain,' meddai'n bwyllog. 'Dwi'n gwybod bod Rhodri'n ffrind i ti, ond ti'n *gwybod* 'mod i'n fewnwr gwell na fydd o byth. Alli di roi gair o fy mhlaid i yng nghlust Mr McRae?'

'Dal dy afael am funud, Dylan,' dywedodd Owain. 'I ddechrau, dwi ddim yn mynd i gael gair o blaid neb efo Mr McRae. Mi wna i wneud awgrymiadau am yr hyn dwi'n ei weld ond dwi'n dal heb gael fy argyhoeddi ynghylch p'run ohonoch chi ddylai gael ei ddewis. Mae Rhodri'n fewnwr cadarn ac mae'n gwybod sut ry'n ni'n chwarae. Ti'n chwaraewr da, dwi'n cytuno, ond dydi gwylltio'n gacwn fel gwnest ti neithiwr ddim yn profi mai ti yw'r dewis gorau. Beth ddaeth dros dy ben di?'

'Och, hynna?' gwenodd Dylan. 'Dim ond chwarae'r ffŵl oeddwn i. A beth bynnag, fo ddechreuodd betha drwy fy ngalw i'n gythrel. Dydi hynna ddim yn dderbyniol o gwbl!'

'Dwi'n cytuno ei fod o ar fai,' meddai Owain, 'ond roedd ymateb fel hynny'n codi ofn ar bobl. Allen ni gael ein cosbi a cholli'r gêm petaet ti'n ymddwyn fel 'na ar y cae rygbi, a fyddet ti byth yn cael dy ddewis ar gyfer yr As eto.'

'O, dyna pam rwyt ti'n gwrthod cael gair o 'mhlaid i efo

Mr McRae? Achos 'mod i wedi gwylltio efo Rhodri?'

'Na!' meddai Owain, wedi cyrraedd pen ei dennyn. 'Dwi ddim yn mynd i gael gair ar ran yr UN ohonoch chi. Pam na alli di dderbyn hynny?'

'Digon teg, bos,' atebodd Dylan, 'ond ti'n gwybod y byddai dewis Rhodri yn gamgymeriad mawr, dwyt?' meddai gan gerdded ymaith.

Agorodd Owain ei geg i ateb, cyn penderfynu pcidio. Plygodd ei ben, wedi cael llond bol ar y sefyllfa.

Penderfynodd ddianc unwaith eto i'w hoff gornel, gan fwmial ar y ffordd yno ei fod yn gobeithio na fyddai ysbryd Johnnie L. Williams yno, fel y gallai gael llonydd.

Catodd ei ddymuniad. Doedd dim sôn am yr ysbryd o'r Eglwys Newydd, ond cyn hir tarfwyd arno pan ymddangosodd ei gyfaill arall o fyd yr ysbrydion.

'Wel, Owain, beth sy'n digwydd eleni? Ti wedi bod yn dawel iawn. 'Wy'n cymryd bod popeth yn iawn?' holodd Dic.

'O, Dic, biti na fyddai popeth yn iawn,' atebodd Owain. 'Mae'r wythnosau dwytha wedi bod yn hunllef, er bod hunllef yn air rhy gryf i gymharu â'r hyn est ti drwyddo fo, ond dwi wedi cael llond bol yr un fath.'

Eglurodd Owain yr holl bwysau oedd ar ei ysgwyddau ers iddo gael ei wneud yn gapten ar y pymtheg cyntaf.

'Beth bynnag, dyna ddigon am hynna. Ddigwyddod 'na rywbeth rhyfedd iawn yn yr union fan yma ddoe. Ro'n i'n darllen y llyfr 'na sy'n cynnwys dy lun di ac yn sydyn, fe wnaeth Johnnie L. Williams, y boi sgwennodd y llyfr, ymddangos!'

'O ddifri? Mae hynna'n od iawn. Rhaid i mi ddweud, 'wy

wedi clywed amdano. Mae yna lawer iawn o barch tuag ato fe. A beth yn gwmws ddywedodd e wrthat ti?'

'Soniodd am ei yrfa a'i fod yn bwriadu aros o gwmpas Caerdydd am sbel,' atebodd Owain. 'Dwi'n meddwl mai agor y llyfr wnaeth ddod ag o yma ata i. Mae'n amlwg fod 'na rywbeth pwerus iawn rhwng y cloriau, yn enwedig o gofio bod gen i hanes gyda'r math yma o beth.'

'Mae'n siŵr bod y llyfr yn bwysig i mi hefyd,' meddai Dic, 'gan fod fy llun i ynddo fe.'

'Byddai'n well i mi fod yn ofalus gyda'r llyfr,' meddai Owain. 'Bydd angen i mi balu i mewn i'r prosiect 'ma cyn bo hir hefyd. Unrhyw syniadau am sut dylwn i wneud hynny?'

Chwarddodd Dic. 'Ddrwg gen i, gw'boi, ond does dim galli di ei wneud ond gweithio'n galed ar rywbeth fel 'na. A beth bynnag, doeddwn i erioed yn un oedd yn rhy hoff o lyfrau.'

'Mae'r hyfforddwr newydd wedi fy symud i safle'r maswr hefyd,' meddai Owain, 'sy'n golygu y bydd Richie Davies am fy ngwaed i.'

Chwarddodd Dic unwaith eto. 'Wel, nawr, Owain, ti'n conan cryn dipyn. Jest tyn dy fys mas a bydd popeth yn iawn. Petaet ti ddim wedi cael dy symud i safle'r maswr byddet ti'n siŵr o fod yn conan am hynny hefyd,' ychwanegodd. 'Mae'n bryd i ti ddechrau canolbwyntio ar dy rygbi – a dy brosiect. Galwaf i dy weld di'n ddigon clou.'

PENNOD UGAIN

Wedi iddo orffen ei waith cartref a gwylio sioe gomedi ar y teledu, llithrodd Owain yn dawel o'r stafell gyffredin a dringo'r grisiau i'r llofft. Doedd arno ddim eisiau siarad â neb ac roedd yn awyddus i ddal i fyny â'i gwsg.

Wrth iddo gripian drwy'r drws, clywodd rywun yn sibrwd yn uchel. Doedd dim golwg o neb, ond sylweddolodd mai Dylan oedd yno, gan fod lwmp mawr o dan y dwfe. Roedd yn cael sgwrs ffôn gyda rhywun.

'Yli, Mam, dwi'n iawn. Wna i gadw llygad barcud ar y sefyllfa a dwi'n sicr gwnaiff y prifathro yr un fath. Does gen ti ddim byd i boeni amdano,' sibrydodd Dylan. 'Jest gwna yn siŵr dy fod ti'n iawn hefyd.'

Oedodd Owain, gan synhwyro nad oedd hon y math o sgwrs yr oedd o angen ei chlywed. Bagiodd allan o'r stafell a mynd i lawr y coridor, cyn dod yn ôl i mewn gan ganu yn uchel.

'Haia bois! Oes 'na rywun adre?' gwaeddodd gan gerdded i'r stafell. Wnaeth Dylan ddim symud ond roedd o wedi stopio siarad. Chlywodd Owain ddim siw na miw ganddo, felly llithrodd i mewn i'w wely a diffodd y golau.

Y prynhawn canlynol, fe wnaeth carfan yr As ymgynnull ar gyfer ymarfer. Roedd ymdeimlad o nerfusrwydd yn y stafell newid a doedd Owain ddim yn rhy hapus wrth weld Dylan yn eistedd yn y gornel gyda Davies a'i griw.

Cerddodd Mr McRae i mewn gan gario clipfwrdd, ac roedd chwiban ar linyn dros ei ysgwydd.

'Reit fechgyn, pawb i setlo,' meddai. ''Wy wedi treulio tipyn o amser yn asesu eich sgiliau a'ch ymroddiad ac ry'ch chi wedi creu argraff arna i. 'Wy hefyd wedi bod yn edrych ar fideo o gêm gwpan y llynedd a 'wy wedi gwneud fy newisiadau ar gyfer gêm gyntaf y tymor ddydd Sadwrn ar sail hynny. 'Wy ddim am wneud unrhyw newidiadau o ran personél, ond 'wy yn mynd i wneud newidiadau yn y cefn, lle bydd Morgan a Davies yn cyfnewid safleoedd yn y 12 a'r 10.'

Penderfynodd Owain y byddai'n beth call peidio ag edrych o'i gwmpas y tro hwn, felly daliodd i syllu ar chwiban yr hyfforddwr.

'Fel ry'ch chi'n gwybod, 'wy hefyd wedi gofyn i Owain fod yn gapten ar y tîm, ond 'wy eisiau i chi i *gyd* gymryd cyfrifoldeb am y chwarae a helpu eich cyd-chwaraewyr bob amser. Gêm tîm yw hon a'r timau gorau yw'r rhai sy'n brwydro gyda'i gilydd ar y cae. Unrhyw gwestiynau?'

Symudodd neb, er bod rhai wedi cymryd cipolwg slei ar Richie Davies. Yn y diwedd, gofynnodd y cyn-faswr gwestiwn.

'Ydi hynna am y tymor i gyd neu jest ar gyfer y gêm gynta?'

'Wel ...' meddai Mr McRae, 'hoffwn i feddwl eich bod chi i gyd yn canolbwyntio ar y safleoedd y byddwch chi'n eu chwarae o hyn ymlaen. Galla i fod yn hyblyg os oes angen, ond ddim ar chwarae bach y bydda i'n newid fy meddwl. 'Wy'n meddwl dy fod ti yn chwaraewr da, Davies, ond fe wnaeth y tîm newid gêr pan wnaeth Morgan slotio i mewn i'r bumed ran o'r wyth cynta yn y gêm gwpan. 'Wy'n credu ei fod yn gallu cynnig rhywbeth ychwanegol yn safle rhif 10 ac mae gen ti'r sgiliau i wneud jobyn dda yn rhif 12.'

Rhoddodd Davies roch cyn codi a cherdded am y drws.

'Davies, gei di adael pan 'wy'n dweud. Nawr, eistedda a gwranda ar yr hyn sydd gen i i'w ddweud. 'Wy eisiau trafod beth ry'n ni'n mynd i'w wneud yn yr ymarfer heddiw.'

Stopiodd Davies gyda rhoch arall, ac eistedd nes i'r hyfforddwr orffen ei sgwrs a gyrru'r garfan gyfan allan ar y cae.

Daeth Rhodri at Owain a churo'i gefn. 'Diolch, capten,' meddai. 'Penderfyniad da.'

Trodd Dylan, oedd yn cerdded o'u blaenau ar bwys Richie, a gwgu ar Rhodri, cyn i Owain godi ei law.

'Stopiwch hi, chi'ch dau, RŴAN!' gwaeddodd. 'Dwi'n ystyried y ddau ohonoch chi'n ffrindiau – ar hyn o bryd, beth bynnag – a doedd dewis y tîm yn DDIM i'w wneud efo fi! Ond er gwybodaeth, dwi'n gwbl fodlon â phenderfyniad Mr McRae, a dwi'n awgrymu bod y ddau ohonoch chi'n gweithio'n galed i brofi ei fod wedi gwneud y dewis cywir – neu anghywir!'

Trodd a brasgamu i'w safle gan ddisgwyl i'r sesiwn hyfforddi ddechrau. 'Sôn am fabis,' meddai. 'A dwi'n gorfod eu gwarchod nhw, am ddim.'

PENNOD UN AR HUGAIN

Gwyddai Owain mai dweud y drefn wrth y mewnwyr oedd y peth iawn i'w wneud, felly wnaeth o ddim trafferthu ceisio'u hosgoi mwyach. Roedd ganddo ormod ar ei blât, rhwng bod yn gapten ar y tîm, cael sgyrsiau dyddiol gyda Mr McRae am dactegau, yn ogystal ag astudio a gwneud gwaith cartref. Ar ben hynny, roedd ganddo'r prosiect!

Roedd Owain wedi bod yn llaesu dwylo gyda'r prosiect ers sbel bellach, er ei fod wedi llwyddo i orffen darllen *Popeth am Rygbi*. Roedd wedi dod o hyd i fwy o fanylion am yrfa rygbi Johnnie L. Williams, ac am ei fywyd yng Nghymru, ond roedd angen mwy o wybodaeth arno am sut brofiad oedd ymladd ar Ffrynt y Gorllewin.

Aeth i nôl y llyfr hynafol o'i locer, casglu llyfr sgwennu a beiro, a chrwydro allan o'r ysgol tua'i gongl gyfrinachol. Cwrddodd â Mr Mathews ar ei ffordd yno, ac roedd o'r un mor frwdfrydig ag arfer. Roedd o hyd yn yn oed yn fwy felly pan welodd o'r hyn roedd Owain yn ei gario.

'Ar gyfer prosiect hanes mae o,' eglurodd Owain.

'Ardderchog – ar gyfer cystadleuaeth yr Hanesydd Ifanc?'

'Ia, dwi'n gwneud fy mhrosiect i ar Johnnie L. Williams – wnaeth o gydio yn fy nychymyg i pan wnaethoch chi sôn amdano yn y Principality'r noson honno,' ychwanegodd.

'Gwych!' dywedodd Mr Mathews. 'Dwi mor falch o glywed hynna. Dylet ti holi Dewi amdano hefyd. Dwi'n sicr ein bod ni wedi trafod hanes Johnnie flynyddoedd maith yn ôl.'

'Mi wna i, diolch,' meddai Owain, ar dân eisiau dianc i'w guddfan. 'Dwi'n mynd i ddod o hyd i gornel dawel i ddarllen y llyfr, gan ei bod hi'n noson braf.'

Ffarweliodd Mr Mathews ag Owain, a dechreuodd Owain ymlwybro tua'r nant yn y coed.

Eisteddodd ar garreg ac agor y llyfr. Ymddangosodd Johnnie bron yn syth.

'Shwmai, gw'boi. Sut wyt ti'n cadw?' gofynnodd.

Eglurodd Owain ei fod eisiau clywed am ei brofiadau yn y Rhyfel Byd Cyntaf a sut beth oedd bod yn ffosydd Fflandrys.

'Doedd e ddim yn rhwydd,' meddai Johnnie. 'Roedd llawer o fechgyn ro'n i'n eu hadnabod wedi ymuno â'r fyddin i fynd i ymladd yn y Rhyfel Mawr. Roedd llawer ohonyn nhw o'r Eglwys Newydd, ac eraill yn ffrindiau rygbi i mi. Pan ddechreuodd y papurau newydd adrodd eu bod nhw'n cael eu lladd, teimlais i'r dynfa ofnadwy 'ma i fynd i ymladd gyda nhw ond ro'n i'n briod gyda Mabel, felly doedd hi ddim yn hawdd ...

'Ta beth, wnes i ymuno yn y diwedd ar y 24ain o Fedi 1914, a chyn hir ro'n i wedi cyrraedd Ffrynt y Gorllewin – lle tu hwnt o ddychrynllyd. Cefais fy ngwneud yn Is-gapten, cyn cael fy nyrchafu'n Gapten maes o law. Dechreuodd Brwydr y Somme ar Orffennaf y 1af 1916, ac erbyn y 7fed, ro'n i a'r bechgyn ro'n i'n eu harwain yn ei chanol hi. Brwydro yn erbyn yr Almaenwyr i'r de o Goedwig Mamtez roedden ni pan ges i fy saethu yn fy nghoes gan fwled Almaenig. Roedd y boen yn erchyll a ges i 'nghludo ar hast i un o ysbytai'r fyddin, lle brwydrodd y meddygon yn galed iawn i fy achub. Ges i lawdriniaeth fawr a gwnaeth y meddygon eu gorau, ond doedd dim yn tycio. Bues i farw, fel miloedd ar filoedd o'r bechgyn eraill wnaeth golli eu bywydau yng Nghoedwig Mametz ...'

Eisteddodd Johnnie i lawr ar y garreg wrth ymyl Owain a gallai'r bachgen ysgol deimlo ias yn yr awyr.

'Mae'n galed siarad am y peth hyd yn oed nawr, ond rwyt ti'n fachgen clyfar, ac os gall sôn amdano helpu pobl i ddeall pa mor erchyll yw rhyfel, mae'n siŵr y gall e wneud rhywfaint o ddaioni.

'Y peth gwaethaf oedd gweld mor ifanc oedd y bechgyn. Ro'n i'n fachan yn fy oed a'm hamser, yn ddyn tri deg pedwar mlwydd oed, ond roedd y rhan fwyaf o'r bois bues i'n brwydro gyda nhw yn llawer iau na fi. Roedd rhai ohonyn nhw'n iau na'r bechgyn hŷn welais i'n chwarae rygbi i'r coleg 'ma ddoe. Wnes i hyd yn oed gwrdd â bechgyn o rai clybie rygbi oedd wedi ymuno â'r fyddin ac yn trin yr holl beth fel petaen nhw'n mynd i chwarae gêm.

'Wnes i farw ddwy flynedd cyn i'r rhyfel ddod i ben, ond welais i rai pethau cythreulig yn ystod yr amser 'na.'

Aeth Johnnie yn ei flaen i ddweud wrth Owain am ei ddyddiau tywyll olaf ar faes y gad, a'r holl ffrindiau welodd o'n dioddef ac yn marw ym mwd a budreddi'r ffosydd.

'Wnaeth yr holl fechgyn ifanc 'na, bob un ohonyn nhw, lefen am eu mamau wrth iddyn nhw farw,' ochneidiodd.

Erbyn iddo orffen dweud ei stori roedd ei lygaid yn ddagreuol a choch. Brwydrodd Owain yntau i ffrwyno ei emosiynau.

'Oes 'da ti ddigon yn y fan yna, boi, ar gyfer dy brosiect?' gofynnodd yr ysbryd.

'Oes, dwi'n meddwl, a diolch yn fawr iawn am rannu hyn.

Mae hi'n stori drist iawn,' atebodd Owain.

'Ody wir, a 'wy ddim yn credu bod neb wedi dysgu dim, er gwacthaf ein haberth ni,' ychwanegodd gan guchio. 'Ers hynny, mae'r byd fel petai e'n llawn o ryfeloedd a dioddefaint ...'

PENNOD DAU AR HUGAIN

Enillodd Craig-wen bedair gêm gyntaf y tymor yn eithaf rhwydd ac roedd syniad Mr McRae am newid Owain a Richie wedi profi'n symudiad athrylithgar. Roedd y ddau chwaraewr wedi gwella eu gêm ac roedd Mr Hopcyn eisoes yn llyfu ei weflau wrth feddwl am y cwpanau arian roedd o'n gobeithio fyddai'n llenwi ei gwpwrdd tlysau.

'Mae dy gicio tactegol wedi creu argraff fawr arna i, Owain,' meddai'r prifathro wrtho ryw ddiwrnod ar yr iard. 'Rwyt ti wedi cael dy fendithio â throed dde arbennig iawn, ond yn bwysiach na hynny, ti fel petaet ti'n gwybod yn gwmws pryd mae angen cic. Dalia ati i weithio ar hynny ac fe ddei di'n chwaraewr rygbi da iawn,' meddai gyda gwên fawr ar ei wyneb.

Doedd Owain byth yn gwybod sut i dderbyn canmoliaeth a theimlodd ei hun yn troi'n binc, yn enwedig pan wnaeth Rhodri ac Alun ymuno gyda nhw.

'Wrthi'n dweud wrth Morgan fan hyn fod ganddo fe allu arbennig i gicio fel maswr ac oddi ar y llawr oeddwn i,' meddai Mr Hopcyn. 'Ond dyna ddigon am rygbi. Sut mae eich prosiectau yn dod yn eu blaenau, foneddigion?'

'Iawn,' mwmialodd y bechgyn ond pwysodd y prifathro am fwy o fanylion gan Owain.

'Mae gen i ddiddordeb mawr yn y pwnc ti wedi'i ddewis. Gallai rhywbeth fel'na yn sicr apelio at feirniaid y gystadleuaeth. 'Wy'n gobeithio y gwnewch chi i gyd weithio'n galed ar eich prosiectau gan y gallan nhw ddod â bri mawr i chi, yn ogystal â'r ysgol. Ac wrth gwrs mae eisiau meddwl am y wobr wych 'na ...'

Yna galwodd rhywun ar Mr Hopcyn a rhoddodd y bechgyn ochenaid o ryddhad wedi iddo adael.

'Dwyt ti ddim fel petaet ti'n gallu gwneud dim o'i le ar y funud, Owain,' gwenodd Rhodri. *Mae gen i ddiddordeb mawr yn y pwnc ti wedi'i ddewis,* chwarddodd, gan ddynwared y prifathro.

'Cau dy geg, Rhodri! Nid fy mai i ydi o ei fod o'n meddwl bod fy mhrosiect i mor wych,' glaswenodd Owain. 'Mae'n sicr yn well nag Arwyddion Ffyrdd De Caerdydd, 1950–2000, neu beth bynnag wyt ti wedi'i ddewis.'

Edrychodd Rhodri fel petai ganddo fymryn o embaras. 'Drycha, dydw i ddim yn hoffi hanes o gwbl – a dwi wedi dod o hyd i wefan wych sydd wedi gwneud y gwaith i gyd i mi.'

'Gwell i ti beidio cael dy ddal,' rhybuddiodd Alun. 'Dydi Mr Lawson ddim yn cymryd unrhyw lol, ac os gwnaiff Mr Hopcyn ddarganfod hynny fyddi di mewn trwbwl go iawn.'

'Ha! Dwi ddim ond yn ei wneud o am fod yn rhaid i mi,' chwarddodd Rhodri. 'Dwi ddim yn disgwyl cael fy newis i fynd i Neuadd Dewi Sant. Dwi ddim eisiau treulio fy holl amser yno yn sownd wrth stondin yn ateb cwestiynau diflas. Dwi am gael cyfle i fynd o gwmpas y neuadd yn cael sbort efo'r genod ifanc.'

Crwydrodd y bechgyn yn ôl i'r dosbarth.

'Ydi Dylan yn dal i dy anwybyddu di?' gofynnodd Owain i Rhodri.

'Ydi,' atebodd yntau. 'Ond dydw i ddim yn poeni gormod.'

''Drycha, dydi o ddim yn hogyn rhy ddrwg,' meddai Owain. 'Mae o ychydig bach yn bigog, ond mae'n iawn. Dwi'n gobeithio gallwch chi gymodi.'

'Chaiff pethau ddim eu datrys nes y gwna i dorri 'nghoes ac y caiff o afael ar fy nghrys rhif 9 i,' meddai Rhodri. 'Dwi ddim yn canmol fy hun, ond dwi'n chwarae'n dda iawn 'leni a does dim dwywaith mai'r gystadleuaeth sy'n gyfrifol am hynny.'

Cytunodd Owain a mynd i'w sedd ar gyfer dosbarth hanes Mr Lawson.

Rhoddodd yr athro ychydig o dudalennau roedd o wedi'u hargraffu o'r we am Johnnie L. Williams i Owain a dechreuodd y ddau drafod sut roedd y prosiect yn mynd.

'Mae ffotograffau yn bwysig hefyd, ac unrhyw bethau cofiadwy eraill y galli di gael gafael arnyn nhw,' dywedodd wrth Owain. 'Dyw hynny ddim yn mynd i fod yn rhwydd gyda rhywun sydd wedi marw ers dros gan mlynedd, ond edrycha ar y we i chwilio, ta beth.'

Yna anerchodd y dosbarth cyfan. 'Mae hi'n hanner tymor wythnos nesaf a 'wy ddim yn disgwyl i chi dreulio eich *holl* amser yn gweithio ar eich prosiect – ond 'wy eisiau gweld rhyw ddatblygiad pan fyddwn ni'n cwrdd nesa, wythnos i ddydd Llun. Treuliwch brynhawn neu ddau arno fe ac wedyn fydd dim rhaid i chi hastu wrth i'r dyddiad cau agosáu.'

Wrth iddyn nhw adael y dosbarth, daliodd Owain i fyny gyda Dylan.

'Haia Dylan, sut wyt ti'n mynd adre heno?' holodd. 'Mae Dad yn dod i fy nôl i. Fydd o ar ei ben ei hun, felly bydd digon o le yn y car. Wnes i roi caniad iddo neithiwr, a dywedodd y byddai hynny'n iawn.'

Edrychodd Dylan arno, ei lygaid yn dywyll.

'Bydda i'n iawn, Morgan, paid ti â phoeni amdana i,' chwyrnodd.

Cymerodd Owain gam yn ôl. 'Dim ond meddwl ella byddet ti mewn twll oeddwn i. Fydd y bws ddim yn hwyl heno mewn ffasiwn dywydd.'

Trodd Dylan ei gefn ar Owain a tharanu tua'r llofft.

PENNOD TRI AR HUGAIN

Cafodd tad Owain ychydig o syndod pan glywodd nad oedd
Dylan eisiau lifft adref i Ddolgellau, ond wnaeth o ddim holi
ymhellach pan welodd o ymateb Owain.

Ar y ffordd adref, bu'r ddau'n sgwrsio am y tymor ac
eglurodd Owain am ei brosiect hanes.

'Nefi, mae hynna'n swnio'n ddiddorol. Mae'n rhyfedd, dwi
erioed wedi bod yn un â diddordeb mawr mewn rygbi, ond
dwi'n cofio clywed enw Johnnie L. Williams,' meddai ei dad.

'Wel, dywedodd Mr Mathews fod Taid yn gwybod
rhywbeth amdano. Ga i sgwrs efo fo dros y penwythnos,'
meddai Owain.

Wrth iddyn nhw agosáu at Ddolgellau, penderfynodd
Owain sôn am ei gyd-ddisgybl unwaith eto.

'Dad, glywaist ti erioed unrhyw sïon yn y dre am Dylan,
neu am ei deulu? Mae o wedi fy anwybyddu i'n ddiweddar am
ddim rheswm, a gwrthododd lifft heno. Mae 'na rhywbeth o'i
le. Dydi o ddim yn hogyn drwg ond mae o'n gwylltio'n gacwn
pan na fydd o'n cael ei ffordd ei hun ...'

'Wn i ddim, Owain,' atebodd ei dad. 'Mae teuluoedd yn
gallu bod yn bethau rhyfedd weithiau a dwi ddim yn sicr a ydi
teulu Dylan yn un hapus. Wna i geisio mynd at wraidd hyn
ond cofia – wnaiff o ddim diolch i ti am fusnesu. Dylet ti fynd
i ofyn iddo a ydi o ffansi gêm fach wythnos yma a gweld be
ddaw o hynny.'

Roedd mam Owain y tu allan i'r tŷ pan gyrhaeddon nhw

adref. Cofleidiodd ei mab gan wneud ffws mawr ohono wrth iddi ei helpu i gario ei fagiau i'r tŷ.

'Ti wedi colli pwysau, Owain. Wyt ti'n bwyta yn iawn? Gobeithio nad wyt ti'n ymarfer yn rhy galed.'

'O, Mam, dwi'n iawn,' cododd Owain ei ysgwyddau. 'Dwi erioed wedi astudio cymaint â dwi wedi'i wneud 'leni. Dwi hyd yn oed wedi dod â 'mhrosiect Hanes adref efo fi dros hanner tymor.'

Clapiodd ei fam ei dwylo mewn llawenydd cyn camu nôl a'i lygadu'n slei.

'Dim rhyw fath o gosb ydi hynna, naci ...?'

'Na! Dwi'n cystadlu yng nghystadleuaeth Hanesydd Ifanc y Flwyddyn a dwi wir yn mwynhau'r gwaith. Ac mae Mr Mathews yn dweud falle y gall Taid fy helpu i efo'r prosiect hefyd.'

Gwenodd ei fam. 'Mae hynna'n hyfryd. Wnaiff o fwynhau hynna. Yr eiliad y clywodd o dy fod ti'n dod adre, dywedodd y byddai'n galw.'

Roedd Dewi wrth ei fodd pan welodd Owain, ac roedd o'n llawn cwestiynau am fywyd yng Ngholeg Craig-wen. Roedd o wedi bod yn chwaraewr rygbi da iawn yn ei ieuenctid ond roedd o wedi rhoi'r gorau i'r gêm o ganlyniad i amgylchiadau tu hwnt o drist.

'Dweud wrth Taid am dy brosiect, Owain. Wnest ti ddweud falle y basa fo'n medru helpu, yn do?' gofynnodd ei fam.

'O do, wrth gwrs,' meddai Owain.

Eglurodd am y gystadleuaeth. Soniodd am lun hen dîm Cymru yn Stadiwm Principality a sut roedd o wedi cael ei ysbrydoli i astudio un o'u chwaraewyr ar gyfer y prosiect.

'Pa un o'r chwaraewyr oedd hwnnw?' holodd ei daid.

'Dyn o'r enw Johnnie—'

'—L. Williams!' gorffennodd ei daid yr enw. 'Wel, tydi hynna'n ddifyr! Ac yn bendant, galla i dy helpu dipyn bach.'

'Sut felly?' gofynnodd Owain. 'Roedd o wedi marw ymhell cyn i chi gael ei geni.'

'Ddim rhyw lawer,' chwarddodd Dewi. 'Dim ond rhyw bump ar hugain o flynyddoedd falle! Na, wnes i ddim o'i gyfarfod, na'i weld yn chwarae, wrth gwrs, ond wnes i gyfarfod rhywun oedd yn nabod Johnnie. Hen gaplan oedd o, ddaeth i 'ngweld i wedi i dy nain farw. Roedd o'n eitha hen bryd hynny a wnaethon ni ddechrau siarad am rygbi. Doedd o ddim yn gwybod fawr am y gêm, ond dywedodd ei fod wedi cyfarfod rhywun fu'n gapten dros Gymru unwaith.

'Roedd y caplan yma wedi bod yn y Rhyfel Byd Cyntaf a gwelodd bethau erchyll yn y ffosydd. Dywedodd wrtha i ei fod wedi ymweld ag ysbyty ar faes y gad un diwrnod ac aethpwyd â fo i babell arbennig i gysuro grŵp o ddynion oedd wedi cael eu hanafu'n ddrwg y diwrnod hwnnw.

'Cofiai gysuro un gŵr ifanc oedd ar fin marw, a phan wnaeth o ddarllen yr enw oedd ar dag oedd yn sownd wrth gadwyn am ei wddf, sylweddolodd pwy oedd o. Dywedodd y caplan ei fod wedi gweddïo drosto wrth iddo farw, cyn symud yn ei flaen at y milwr yn y gwely nesaf. "Wyddost ti pwy yw hwnna ar y bwrdd drws nesa?" gofynnodd i'r milwr. "Hwnna yw Johnnie L. Williams, capten tîm rygbi Cymru rai blynyddoedd yn ôl." Dywedodd y caplan ei fod o'n meddwl yn aml pa mor drist oedd hi fod bywyd dyn mor arbennig wedi dod i ben yn y ffosydd. Rhoddodd y caplan gopi o gerdd i mi roedd ffrind iddo wedi'i hysgrifennu, cerdd am filwyr a gollwyd yng Nghoedwig Mametz. Wna i chwilio amdani i ti.'

'Mae honna'n stori drist, Taid,' meddai Owain. 'Ga i ei defnyddio hi yn y proseict? Ydych chi'n cofio enw'r caplan?'

'Wrth gwrs cei di ei defnyddio – wna i drio cofio rhagor o fanylion. A'r caplan? Ai Roger oedd ei enw? Rhywbeth fel 'na ... neu Rhodri neu Robert – ia, dyna ni! Y Caplan Robert Edwyn Roberts.'

Roedd hi'n wlyb a diflas yn Nolgellau fore dydd Llun, felly penderfynodd Owain weithio ar y prosiect fel y gallai ei orffen, a chael hoe fach am weddill yr wythnos. Cafodd drefn ar yr holl wybodaeth a gasglodd, a gwnaeth nodyn o'r hanes roedd ei daid wedi'i rannu am farwolaeth Johnnie L. Williams. Byddai'n rhaid iddo fynd i chwilio am ysbryd yr hen chwaraewr, fodd bynnag, gan fod ganddo fylchau yn ei stori o hyd.

Aeth y diwrnod yn gyflym a phan ddaeth y glaw i ben, penderfynodd Owain fynd allan i redeg. Aeth am y clwb pêl-droed i weld a oedd rhai o'i hen ffrindiau yno ond yr unig un a welodd oedd Bryn, oedd wrthi'n trwsio rhwydi'r goliau.

'S'mai, Bryn,' meddai Owain. 'Rhaid bod y gwrthwynebwyr wedi bod yn eu peltio nhw i mewn i'r gôl y penwythnos 'ma os ydych chi'n gorfod trwsio rheina!' meddai'n ysgafn.

'O, ddaru ni eu curo nhw, siŵr! Rhyw lafnau o ganol unlle efo dim clem am sut i chwarae oedden nhw!' atebodd yr hen ofalwr. 'Sut mae hi'n mynd yng Nghaerdydd? Clywais i dy fod ti'n dod yn dy flaen yn reit ddel efo'r rygbi.'

'O, ble clywsoch chi hynna, Bryn?'

'Wel, mae dy daid yn picio draw ata i ryw ben bob dydd am sgwrs. Wyddost ti fod ganddo feddwl mawr ohonat ti? Dywedodd o dy fod ti'n ei atgoffa o'r ffordd roedd o'n arfer chwarae'r gêm. Dwi'n meddwl iddo fod yn dipyn o chwaraewr ers talwm.'

'Oedd, mi oedd o. Maen nhw'n dweud y gallai o fod wedi chwarae dros Gymru,' atebodd Owain.

'Falle gwnei di ryw ddiwrnod,' meddai Bryn, 'os na wnei di sticio at y pêl-droed, wrth gwrs!'

Chwarddodd Owain a cherdded ymaith, yn hapus ei fod wedi gweld un o hen gymeriadau'r dref. Am bobl fel Bryn y byddai o'n hiraethu pan oedd o yng Nghaerdydd. Roedd gan y wynebau a'r llefydd hyn le arbennig yn ei galon, a gwerthfawrogai'r cyfan hyd yn oed yn fwy, ac yntau'n byw yng Nghaerdydd am y rhan fwyaf o'r flwyddyn.

Rhoddwyd pall ar ei fyfyrdodau pan aeth o rownd congl y brif stryd, oherwydd yno, yn sefyll o flaen y siop bapurau newydd, roedd Dylan a dau fachgen arall.

'S'mai, Dylan? Gyrhaeddaist ti adre'n iawn neithiwr?' gofynnodd.

Stopiodd Dylan siarad â'i ffrindiau a throi at Owain.

'Do, ond dydi o ddim o dy fusnes di' atebodd yn chwyrn.

'Iawn, os mai fel 'na wyt ti eisiau bod,' atebodd Owain, 'ond does gen ti ddim rheswm i fod yn flin efo fi. Rho floedd os wyt ti eisiau cymodi. Bydda i ar y cae pêl-droed bore fory.'

Brasgamodd i fyny'r stryd, gan barhau i bendroni pam roedd Dylan mor chwerw. Doedd Owain ddim yn rhy hoff o'r cwmni oedd ganddo chwaith. Y brodyr Evans oedd wedi achosi'r rhan fwyaf o'r trafferth yn nosbarth Owain yn yr ysgol gynradd cyn iddo adael am Gaerdydd.

Pan gyrhaeddodd Owain adref roedd ei fam a'i dad yn aros amdano. Edrychai ei dad yn bryderus, ac yn sydyn roedd Owain ar bigau wrth iddo eistedd.

'Be sydd? Oes rhywbeth wedi digwydd i Taid?' gofynnodd.

'Na, na, dim byd felly,' atebodd ei fam. 'Wnaeth dy dad gyfarfod un o'i ffrindiau pysgota heddiw ac mae ganddo newyddion diddorol i'w dweud wrthat ti.'

'Mae fy ffrind yn uwch-arolygydd efo Heddlu Gogledd Cymru,' eglurodd ei dad. 'Wnes i ei holi'n dawel bach am Dylan a dywedodd o ei fod o a'i deulu wedi dod i'w sylw nhw'n ddiweddar.'

'O, na,' meddai Owain. 'Ond sut? Mae o wedi bod yng Nghaerdydd ers mis Medi ...'

'Dydi o ddim mewn unrhyw drwbwl,' meddai Mr Morgan, 'wel, ddim gyda'r heddlu beth bynnag. Ond mae'n debyg bod tad Dylan yn ffigwr mawr yn yr isfyd troseddol, fel maen nhw'n ei alw ar y newyddion ar y teledu. Mae ei fam yn ddynes dda, fodd bynnag, a wnaeth hi ei adael o, gan fynd â Dylan a'i chwaer fach efo hi. Mae ganddo un brawd hŷn sydd eisoes wedi bod yn y carchar ac roedd ei fam yn ofni y byddai Dylan yn mynd i'w ganlyn. Nid Dylan ydi ei enw iawn o, hyd yn oed. Ac nid Jones yw ei gyfenw. Maen nhw wedi bod yn symud o le i le gan drio cadw un cam ar y blaen i'r tad, sy'n awyddus ofnadwy i gael y teulu yn ôl at ei gilydd.'

'Cofia, paid â dweud gair am hyn wrth neb, yn enwedig Dylan,' rhybuddiodd ei dad, 'ond dwi'n meddwl mai'r peth iawn i'w wneud ydi ceisio bod yn ffrind iddo, a'i gefnogi. Mae'r creadur wedi cael bywyd caled ac mae o angen ffrindiau da.'

Syfrdanwyd Owain gan y newyddion, ond roedd o'n bendant yn egluro ymddygiad Dylan a'r alwad ffôn od yn y llofft. Cytunodd i geisio cymodi â'i ffrind.

PENNOD
PUMP AR HUGAIN

Wnaeth Owain ddim gweld ei gyd-ddisgybl o gwmpas y dref drwy gydol yr wythnos, felly penderfynodd bicio draw i'w dŷ brynhawn dydd Gwener. Gwyddai ym mha stryd roedd Dylan yn byw, ond ni wyddai beth oedd rhif y tŷ, felly galwodd yn y siop bapurau newydd ar y gornel.

'Esgusodwch fi, ond ydych chi'n gwybod lle mae'r Jonesiaid yn byw, plîs?' gofynnodd.

'Pam wyt ti'n gofyn?' holodd y siopwraig yn amheus.

'Dwi yn yr un ysgol â Dylan,' atebodd Owain.

'Yng Nghaerdydd?' gofynnodd.

'Ia, dwi'n chwarae pêl-droed efo fo hefyd ...'

'Iawn, mae'n rhaid mai ti yw Owain Morgan. Maen nhw'n byw yn rhif chwech, dau ddrws i lawr o'r siop. Cnocia ddwy waith ar y ffenest ac yna unwaith ar y drws,' meddai wrtho.

Synnodd Owain fod angen mynd i gymaint o drafferth wrth alw i weld Dylan ond yna sylweddolodd efallai fod gan hyn rywbeth i'w wneud â'r hyn roedd ei dad wedi'i ddarganfod.

Gwnaeth fel y dywedodd y ferch yn y siop wrtho, ac agorwyd y drws gan ferch ychydig yn iau nag ef, gyda gwallt coch. Edrychodd ar Owain o'i gorun i'w sawdl a gofyn iddo beth oedd ei enw.

'Owain Morgan,' atebodd yntau. 'Dwi yn yr ysgol gyda Dylan.'

'O, dwi wedi clywed amdanat ti. Mae o yn y llofft, ar ei gyfrifiadur. Cadi ydw i.'

Galwodd ar ei brawd a chodi ei hysgwyddau pan roddodd o roch yn ateb.

'Oes gen ti unrhyw chwiorydd?' gofynnodd Cadi i Owain.

'Ym, na, na brodyr chwaith.'

'Dim ond meddwl oeddwn i,' atebodd hithau. 'Dwi'n nabod bron pob un o'r merched yn yr ysgol, a does gan yr un ohonyn nhw'r cyfenw Morgan.'

'Sut wyt ti'n hoffi'r ysgol?' gofynnodd Owain.

'O, mae hi'n iawn,' atebodd Cadi. 'Wna i siarad â phawb ond mae ambell un yn snob. Mae llyfrgell dda yna, cofia, ac mae'n well gen i ddarllen llyfrau na chwmni plant y rhan fwyaf o'r amser.'

Sgwrsiodd y ddau am ychydig cyn i Dylan ddod i lawr y grisiau o'r diwedd. 'Iawn, Owain? Be sydd?' gofynnodd.

'S'mai, Dylan. Wyt ti eisiau mynd i redeg?'

'Na, dwi'n brysur,' meddai Dylan.

Daeth dynes i'r cyntedd. 'Tyrd yn dy flaen rŵan, Dyl, rwyt ti wedi bod o flaen y sgrîn 'na ers oriau. Wnaiff ychydig bach o awyr awyr les i ti. Dwi eisiau bara a llaeth hefyd.'

Rhoddodd bapur pumpunt i Dylan ac agor y drws ffrynt. 'Iawn, Mam,' chwyrnodd.

Crwydrodd y bechgyn i lawr y brif stryd mewn distawrwydd, cyn i Owain dorri'r ias.

'Gwranda Dyl, doedd gen i ddim byd i'w wneud efo chdi ddim yn cael dy ddewis i'r tîm, ond alli di ddewis peidio credu hynny os wyt ti eisio. Dwi ddim yn elyn i ti ac ro'n i wedi dechrau meddwl 'mod i'n ffrind. Gall yr ysgol fod yn lle anodd i fachgen newydd – ges i ychydig o broblemau yno fy hun llynedd. Ond mae hi'n llawer rhwyddach os oes gen ti griw da o fechgyn yn ffrindiau i ti.'

'Mae Richie a'i griw yn olreit,' meddai Dylan.

'Ia, wel, gwna di fel y mynni, ond does dim pwynt i ti anwybyddu'r gweddill ohonon ni sy'n rhannu'r llofft.'

Ddywedodd Dylan ddim byd am funud, yna oedodd a throi i edrych ar Owain.

'Ocê, beryg 'mod i wedi bod yn ychydig o ffŵl, ond mae hi'n galed ffitio i mewn yna,' eglurodd. 'Ti eisoes mor enwog yng Nghraig-wen. Dwi'n gwybod 'mod i'n fewnwr da – un gwell na Rhodri, siŵr o fod – ond gan 'mod i'n newydd, dwi'n gorfod bod ddwywaith cystal â'r lleill er mwyn cael unrhyw gyfle.'

Cytunodd Owain. 'Mi wn i, a chefais i 'run profiad â ti llynedd. Ond dwyt ti ddim yn helpu drwy ymddwyn fel ffŵl sydd wedi cael ei ddifetha. Mae angen i ti ddyfalbarhau a bod yn barod i newid dy safle ar y cae. Falle fydd bwlch ar yr asgell gan fod Shane wedi brifo'i ffêr.'

'Fyddai Mr McRae yn gadael i mi symud i'r asgell?' holodd Dylan.

'Wel, efo'r Bs i ddechrau, mae'n siŵr,' cynigiodd Owain. 'Ond ti'n gyflym ac yn wydn pan mae angen hynny. Dwi'n meddwl y byddet ti'n asgellwr gwych.' Rhoddodd Owain ei fraich ar ysgwydd Dylan. 'Yli, gad i ni ddechrau o'r dechrau eto, rŵan ein bod ni'n deall ein gilydd yn well. Does gen i neb arall o Ddolgellau efo fi yng Nghaerdydd, felly dwi'n dibynnu arnat ti i fod yn fêt i mi. Ti'n gwybod nad ydw i'n dod 'mlaen efo Richie, ond pob lwc i ti os wyt ti. Dwi ddim yn mynd i ddweud dim byd i dy droi di'n ei erbyn, ond bydd yn wyliadwrus.'

'A, wn i,' atebodd Dylan. 'Roedd o'n olreit pan o'n i'n ffraeo efo ti, ond beryg na fydd o eisiau fy nabod bellach, a ninnau'n fêts unwaith eto.'

PENNOD
CHWECH AR HUGAIN

Cafodd y ddau amser da yn cicio pêl o gwmpas y cae pêl-droed y diwrnod hwnnw ac awgrymodd Owain ychydig o symudiadau rygbi y gallai Dylan eu hychwanegu at ei gêm er mwyn ei wneud yn asgellwr posib i Graig-wen. Erbyn diwedd y dydd roedd y ddau'n chwerthin ac yn tynnu coes fel ffrindiau gorau.

Cytunodd Dylan i gael lifft yn ôl i Gaerdydd hefyd ac roedd y ddau fachgen a ddaeth o'r car ar ddreif Coleg Craig-wen ar ddiwedd y gwyliau hanner tymor yn rhai bodlon a hapus.

'Diolch, Mr Morgan,' meddai Dylan wrth i'r bechgyn estyn eu bagiau o gist ei gar.

Arhosodd Owain nes bod Dylan wedi dechrau cerdded tua'r fynedfa cyn diolch i'w dad.

'Dwi'n falch fod pethau wedi'u sortio,' meddai ei dad. 'Mae o'n fachgen bach hoffus. Angen ychydig o sefydlogrwydd yn ei fywyd mae o, dwi'n meddwl.'

'Diolch, Dad. Wna i gadw mewn cysylltiad,' meddai Owain. 'A cheisia ateb fy negeseuon tecst!'

'Wna i, wna i!' chwarddodd ei dad. 'Wyddoch chi fechgyn ifanc ddim pa mor brysur ydi bywyd rhieni. Does gen i ddim amser i sgwennu tecsts, ac a bod yn onest, dwi ddim yn sicr iawn sut mae'r ffôn newydd yma'n gweithio chwaith ...'

Chwarddodd Owain wrtho'i hun wrth iddo ddringo'r grisiau i'r llofft.

Wrth iddo fynd heibio'r gornel yn sydyn, gwelodd Dylan a Mr Hopcyn.

'Ddrwg gen i – welais i mohonoch chi,' ymddiheurodd Owain.

Gostyngodd Dylan ei ysgwyddau ac edrych ar Owain, ond ddywedodd o 'run gair. Aeth Owain i mewn i'r llofft a chau'r drws. Llamodd Alun i fyny o'r gwely, lle roedd o wedi bod yn darllen comic sombis.

'S'mai, Owain. Gefaist ti wyliau da?' gofynnodd.

'Do, ddim yn ddrwg o gwbl. Wnes i rywfaint o waith. A titha?'

'Diflas. Roedd hi mor wlyb! Wnes i geisio dechrau fy mhrosiect ar y Groegiaid, ond roedd 'na wastad rywbeth difyrrach ar y teledu. Gwyliais raglen ddogfen gyfan ar eifr un pnawn!'

'Ha! Geifr o Wlad Groeg gobeithio? Dwi mwy neu lai wedi gorffen gwneud y gwaith ymchwil ar fy un i, felly wna i ddechrau sgwennu wythnos yma.'

Cerddodd Dylan i'r llofft ond heblaw am y 's'mai' arferol, gwnaeth yn amlwg nad oedd mewn hwyliau sgwrsio. Gorweddodd ar ei wely a rhoi ei glustffonau yn ei glustiau. Sylwodd Owain nad oedd wedi gwasgu botwm y chwaraewr, hyd yn oed.

Doedd Dylan yn amlwg ddim eisiau siarad.

Er ei fod o'n ddigon cyfeillgar, doedd Dylan yn dal heb gael sgwrs iawn gyda'r un o'i gyd-ddisgyblion erbyn i'r tîm dan 14 ymgynnull ar gyfer eu gêm gynghrair gyntaf ar y dydd Mercher canlynol.

Er mai cyd-ddigwyddiad ydoedd, Sant Oswyn oedd y

gwrthwynebwyr, sef y tîm a gurwyd gan Graig-wen yn y gêm gwpan ar Barc yr Arfau ddiwedd y tymor blaenorol.

'Wy'n sicr bydd y bois yma'n awchu am y gêm hon,' meddai Mr McRae, 'ac maen nhw'n dîm da, yn ôl beth welais i yn y gêm gwpan. Ond os glynwch chi at y pethau sylfaenol, byddwch chi'n iawn. Mae pob un ohonoch chi'n gwybod beth yw eich rôl a'ch cyfrifoldebau. Felly ewch mas yna a dangoswch iddyn nhw nad ffliwc oedd eich buddugoliaeth. Craig-wen yw'r tîm gorau yn y sir ar gyfer yr oedran yma a byddai'n well i'r bechgyn yna gofio hynny.'

Cymeradwyodd y tîm wrth i eiriau tanllyd yr hyfforddwr ddiasbedain o gwmpas y stafell newid. Dyma eu cyfle cyntaf i chwarae yn yr ysgol ers gêm Parc yr Arfau hefyd, ac roedd llawer o fechgyn y dosbarthiadau hŷn wedi dod i'w gweld yn chwarae.

Roedd yn amlwg o'r dechrau nad oedd Sant Oswyn wedi anghofio'r gêm gwpan ac roedden nhw'n awyddus i ddial. Wnaeth Richie Davies ddim helpu chwaith drwy lafarganu 'Pen-camp-wyr! Pen-camp-wyr!' wrth i'r bêl gael ei rhoi i mewn i sgrym gyntaf y gêm. Stopiodd y dyfarnwr y gêm a cherdded draw at Owain.

'Gofyn i'r canwr opera 'na gau ei ben plis, capten,' cyfarthodd.

Hedfanodd Sant Oswyn i fyny'r cae ac roedden nhw 6–0 ar y blaen o fewn deng munud gan fod Craig-wen, oedd yn amddiffyn yn daer, yn cadw ildio ciciau cosb iddyn nhw. Y tro cyntaf y cafodd Davies afael ar y bêl, ceisiodd redeg gan ochrgamu, oedd yn symudiad ffôl, gan fod yr ymwelwyr yn awchu am gyfle o'r fath. Cafodd Davies ei lorio gan dri blaenwr mawr ddaeth amdano o'r chwith, o'r dde a'r canol.

Cododd y tri ar eu traed gan wenu'n llydan ar weddill eu tîm, ond chwifiodd y dyfarnwr ei fys arnyn nhw pan ddechreuon nhw herio a gweiddi ar Davies.

Roedd Richie yn ddu las, ond wedi ychydig funudau roedd o'n barod i ailgydio yn y chwarae. Er nad oedd llawer o fechgyn Craig-wen yn rhy hoff o Davies, ac er eu bod yn deall pam roedd chwaraewyr Sant Oswyn wedi gwneud yr hyn wnaethon nhw, roedd Richie yn aelod o'u tîm NHW, ac felly roedd rhaid ei amddiffyn a dial ar ei ran.

Enillodd pac Craig-wen gyfres o sgrymiau a rycs aeth â nhw at linell ddwy ar hugain eu gwrthwynebwyr, a dyna pryd y lluchiodd Rhodri'r bêl allan i Owain, oedd yn safle'r maswr. Gwelodd Owain fwlch ac aeth amdani, a gyda hwrdd o gyflymder bwriodd drwy ddwylo chwaraewyr Sant Oswyn, oedd yn crafangio am y bêl, a'i thirio rhwng y pyst. Derbyniodd longyfarchiadau ei gyd-chwaraewyr cyn eu harwain yn ôl i'r llinell hanner. Owain gymerodd y trosiad a chiciodd y bêl reit drwy ganol y pyst gan sicrhau bod Craig-wen 7–6 ar y blaen.

Roedd Mr McRae yn gadarnhaol am eu perfformiad ond aeth ag Owain i'r naill ochr am sgwrs breifat cyn dechrau'r ail hanner.

'Mae Davies yn dal i edrych ychydig bach yn simsan. Rho i bum munud iddo ac yna wy'n mynd i'w dynnu oddi ar y cae. Ro'n i'n ystyried symud Mickey Roberts i'r canol ond mae hynny'n ein gadael ni heb asgellwr. Beth wyt ti'n ei feddwl?' gofynnodd yr hyfforddwr.

'Mae Dylan yn awyddus i chwarae ar yr asgell ac mae o'n

bendant yn gyflymach na Joseff,' atebodd Owain. 'Wnaiff o ddim eich siomi'.

Nodiodd Mr McRae ond wnaeth o ddim ateb. Edrychodd draw at y fainc lle roedd yr eilyddion yn swatio. Doedd dim golwg o Dylan.

'Aeth Mr Hopcyn â fe oddi yno yn ystod yr ail hanner. Mae rhywbeth o'i le gartre, 'wy'n credu.'

PENNOD
SAITH AR HUGAIN

Cafodd Richie Davies ail wynt yn yr ail hanner a gadawodd Mr McRae ef ar y cae. A dweud y gwir, fo wnaeth sgorio dau o bedwar cais Craig-wen wrth i'r tîm cartref sicrhau buddugoliaeth o 28–16. Owain arweiniodd y gymeradwyaeth ar gyfer Sant Oswyn wrth i'r timau gerdded oddi ar y cae ac edrychodd at fainc yr eilyddion unwaith eto. Doedd Dylan yn dal ddim yno.

Dychwelodd Owain i'r llofft ar ôl swper, ac erbyn hyn roedd o'n bryderus iawn ynglŷn â'i ffrind. Daeth o hyd iddo'n gorwedd ar ei wely ac roedd hi'n amlwg ei fod wedi bod yn crio.

'Haia, Dyl, be ddigwyddodd heddiw?' gofynnodd Owain. 'Roedd Mr McRae ar fin dod â ti ar y cae fel asgellwr.'

Atebodd Dylan ddim, ond eisteddodd i fyny a cherdded at y drws, gwneud yn sicr nad oedd neb yn y coridor y tu allan, cyn cau'r drws ar ei ôl. Cerddodd at ei wely, eistedd i lawr ac edrych ar ei ffrind.

'Owain, mae'n RHAID i'r hyn dwi am ei ddweud wrthat ti gael ei gadw'n gwbl gyfrinachol. Alli di ddim dweud wrth neb. NEB O GWBL. Wyt ti'n addo?'

Nodiodd Owain.

'Cyfrinach am fy nhad ydi hi. Dydi o ddim yn ddyn da, a bod yn onest. Dwi heb ei weld ers pan oeddwn i'n fychan ac mae'r rhan fwyaf o'r atgofion sydd gen i amdano yn rhai ohono'n ymddwyn yn frwnt tuag at Mam. Gadawodd Mam o sbel yn ôl a mynd â fi a Cadi efo hi. Bu Dad ... ymm ... i ffwrdd am gyfnod, felly cawson ni lonydd.

'Buon ni'n byw ym Mhen-y-bont am ychydig flynyddoedd ond dechreuodd Mam deimlo'n nerfus yno, felly symudon ni i Ddolgellau. Rydan ni wrth ein boddau yno ac mae ganddi hi swydd hyfryd hefyd,' meddai.

'Mae un o'i hewythrod hi'n gyfreithiwr cyfoethog yn America ac roedd o'n awyddus i mi ddod i'r ysgol yma, felly fo sy'n talu'r ffioedd. Roedd o yng Nghraig-wen gyda Mr Hopcyn a wnaeth o egluro'r sefyllfa iddo – a gofyn iddo gadw llygad arna i.

'Cafodd Mr Hopcyn alwad gan Mam heddiw yn dweud ei bod hi wedi gweld un o ffrindiau Dad yn Nolgellau. Dydi hi ddim yn meddwl ei fod wedi'i gweld hi, ond mae hi ar bigau'r drain yr un fath. Mae'n od. Roedd hi'n nerfus wythnos dwytha a dywedais i wrthi am beidio poeni, ond mae gan famau deimlad greddfol am y pethau 'ma ...'

Eisteddodd Owain ar y gwely gyferbyn â Dylan.

'Mae hynna'n ofnadwy, Dyl,' meddai Owain. 'Ydi hi'n iawn? Pam oedd yn rhaid i ti adael y gêm?'

'Mae hi'n iawn erbyn hyn ond dydi hi ddim yn nabod neb yn ddigon da i ymddiried ynddyn nhw yn Nolgellau a dydi hi ddim yn gadael y tŷ. All Cadi druan ddim mynd i'r ysgol. Aeth Mr Hopcyn â fi draw i siarad efo Mam gan ei bod hi wedi styrbio'n arw pan wnaeth hi ei ffonio. Mae Cadi wedi'i hypsetio hefyd, ond mae hi'n fwy gwydn na'r un ohonon ni ...'

Ochneidiodd Dylan cyn troi'r sgwrs. 'Oedd Mr McRae am ddod â fi ar y cae? Go iawn?'

'Oedd, roedd o'n mynd i newid y cefnwyr o gwmpas pan

gafodd Davies ei anafu. Dywedais i wrtho y byddet ti'n fwy o gaffaeliad na Joseff ar yr asgell ...'

'Diolch, mêt,' meddai Dylan, gan deimlo'n well yn sydyn. 'Mi wna i'n siŵr 'mod i'n barod yn ystod yr ymarfer ddydd Gwener.'

Crwydrodd y ddau i'r stafell gyffredin a gwylio Lerpwl yn cael eu curo'n rhacs gan Abertawe. Gwenodd Owain, a chwerthin wrtho'i hun wrth weld Richie, oedd yn gefnogwr brwd o'r Cochion, yn eistedd o flaen y sgrîn a'i wyneb yn wyn fel y galchen.

Eisteddodd Owain i lawr mewn cornel dawel a throi at *Popeth am Rygbi,* yn ogystal â'i nodiadau am ei brosiect. Roedd ganddo wybodaeth dda ac ychydig o syniadau sut y byddai'n mynd i'r afael â'r prosiect, ond roedd yr elfen hud honno fyddai'n rhoi siawns iddo ennill y gystadleuaeth ar goll. Byddai'n rhaid iddo weld Johnnie eto cyn bo hir.

PENNOD
WYTH AR HUGAIN

Treuliwyd yr wythnos ganlynol yn gweithio ar y prosiect ac roedd Mr Lawson yn bles iawn â'r ffordd roedd Owain wedi rhoi'r cyfan at ei gilydd. Fe wnaeth o hyd yn oed alw ar Mr Mathews i ddod i'r dosbarth i ddarllen y drafft cyntaf.

'Mae hwnna'n ddarn hyfryd o waith, Owain, gyda storïau ardderchog hefyd. Sut wnest ti ddarganfod y stori 'na am y caplan?'

'Gan fy nhaid,' atebodd Owain. 'Wnaeth o gyfarfod hen gaplan oedd wedi cyfarfod Johnnie L. Williams ar ôl i fy nain, ar ôl i fy nain ...'

'A, do wrth gwrs. Dwi'n cofio rŵan. Bu'r caplan yn ffosydd Ffrainc, do? Dwi'n cofio Dewi yn dweud y stori wrtha i ar y pryd. Fe wnaeth gryn argraff arno. Mae hi'n ddifyr bod ei ŵyr wedi cydio yn y stori.'

Gwenodd Owain a dychwelyd at ei waith. Roedd dyddiad cau'r gystadleuaeth ymhen deuddydd a doedd o ddim yn hapus gyda rhai rhannau o'r prosiect. Roedd Mr Lawson wedi dod o hyd i gwpwl o luniau da oddi ar y we ac roedd y llyfrgellydd wedi rhoi caniatâd iddo lungopïo darnau o *Popeth am Rygbi*, ond roedd o'n gwrthod gadael i Owain yrru'r hen lyfr gwerthfawr i'r gystadleuaeth. Felly doedd dim o gyfnod Johnnie L. Williams y gallai Owain ei roi yn y prosiect fyddai'n rhoi mantais iddo dros y gweddill.

Ar ddiwedd ei wersi, paciodd Owain ei fag a cherdded draw at y nant lle gwnaeth o gyfarfod Johnnie y tro dwytha.

Eisteddodd i lawr ar y garreg ac agor y llyfr. Roedd hi eisoes yn tywyllu ac yn oeri. Fyddai o ddim yn gallu bod yno'n rhy hir.

Syllodd ar y llun o Williams a'i gyd-chwaraewyr, ac ar yr awdur Billy Soar. Edrychai'r cyn-gapten yn gryf, fel petai'n medru curo pawb a phopeth, ond yna cofiodd Owain pa mor angheuol oedd arfau'r Rhyfel Byd Cyntaf, a sut y bu i un fwled Almaenig yn y Somme ddod â bywyd y Capten Johnnie L. Williams i ben.

'Shwmai, gw'boi,' clywodd lais cyfarwydd. 'A sut mae'r prosiect 'na ti'n gweithio arno fe'n dod 'mlaen?'

'S'mai, Johnnie,' meddai Owain, yn falch bod yr ysbryd wedi ymddangos. 'Dwi bron â'i orffen a dweud y gwir. Ond dwi angen gofyn ychydig mwy o gwestiynau, os nad oes ots gennych chi.'

Bu Johnnie'n barod iawn i lenwi'r bylchau ym mhrosiect Owain a bu'r ddau'n sgwrsio am y byd rygbi modern ac fel roedd hwnnw'n wahanol iawn i'r byd y chwaraeodd y cyn-gapten ynddo.

'Gwyliais ychydig o'r gêm 'na chwaraeaist ti'r wythnos dwytha. Ry'ch chi'n eitha slic. Ond doeddwn i ddim yn gallu gweithio mas ym mha safleoedd roeddech chi'n chwarae. Yn fy nyddiau i roedd yr hanerwyr yn rhannu'r cae, gydag un yn gyfrifol am ochr chwith y sgrym a'r llall yn cadw llygad ar ochr dde y sgrym. Gan ddibynnu yn hanner pa un ohonyn nhw y byddai sgrym yn cael ei gosod, hwnnw fyddai'n bwydo'r bêl i'r sgrym. Mae'n ymddangos i mi mai'r un boi bach sy'n gwneud hynny bob tro yn eich tîm chi, ac roeddet tithau'n chwarae allan yn safle'r maswr bob tro.'

Roedd rygbi'n gêm gymharol newydd i Owain, ond eglurodd orau y gallai, gan obeithio nad oedd wedi rhoi camargraff i Johnnie. Dywedodd wrtho pryd roedd eu gêm gartref nesaf ac awgrymu ei fod yn dod i wylio. Wrth i Owain godi, cofiodd nad oedd ganddo unrhyw wrthrychau hanesyddol ar gyfer ei brosiect. Eglurodd ei broblem wrth Johnnie.

'Wel, nawr, mae'n siŵr y galla i dy helpu di'n fan'na, gw'boi, ond mae'n rhaid i ti addo y gwnei di edrych ar eu holau nhw i mi. Maen nhw'n golygu popeth i mi.'

Agorodd yr hen filwr boced frest ei diwnig a thynnu dau wrthrych allan ohoni.

'Llun o fy ngwraig Mabel yw hwn.' Rhoddodd ddarn o gardfwrdd caled wedi melynu i Owain, wrth i'w lygaid lenwi â dagrau. 'Edrych ar ei ôl e'n ofalus,' sibrydodd yn floesg. Yna agorodd ei ddwrn, oedd wedi cau am ddarn o ddefnydd coch.

'Mae hwn fan hyn wedi bod yn fy mhoced ers canrif a mwy. Ro'n i'n ei gario i bobman ar ôl i mi orffen chwarae ac aeth e gyda mi i'r frwydr olaf ...'

Syllodd Owain ar y darn defnydd gwerthfawr gyda thair pluen wen wedi'u brodio'n ddestlus ar y defnydd coch.

'Cyn iddo fynd yn fy mhoced, ro'n i'n ei wisgo ar fy mrest, ar siwmper goch Cymru,' eglurodd y cyn-gapten. 'Pob lwc gyda'r prosiect. 'Wy wrth fy modd bod pobl yn mynd i glywed am Johnnie L. Williams unwaith eto. Cofia alw yma i ddweud wrtha i sut mae pethau'n mynd.'

PENNOD
NAW AR HUGAIN

Cafodd Owain syrpréis arall y bore wedyn, wrth i'r ysgrifenyddes ei gyfarfod ar risiau'r ysgol a rhoi llythyr iddo. Roedd y cyfeiriad wedi'i ysgrifennu mewn llawysgrifen denau, sigledig, a gwelodd Owain farc post Dolgellau ar yr amlen.

'Taid,' gwenodd. 'A beth sydd gennych chi i mi yn fan'na?'

Agorodd yr amlen yn ofalus a synnu gweld mai dim ond un darn o bapur melyn oedd y tu mewn iddi. Roedd o'n amlwg yn hen ofnadwy, a phan agorodd Owain ef, roedd cerdd wedi'i hysgrifennu arno mewn print hen ffasiwn iawn. Darllenodd Owain y gerdd iddo'i hun:

Daeth atom i'r ffosydd frysneges Maeslywydd
I hwylio ein harfau ar frys, yn ddi-oed;
Ac ebr y gorchymyn: 'Rhaid symud y gelyn,
A'i ymlid o'i loches draw acw'n y coed.'

Y nos a enciliodd a'r bore a wawriodd,
Y bore rhyfeddaf a welsom erioed;
A ni yn y ffosydd yn disgwyl am rybudd,
Sef gair i ymosod a meddiannu'r coed.

'Chwi fechgyn o Gymru,' medd swyddog y gadlu,
'Rhaid heddyw ymdrechu yn fwy nag erioed;
Aed pob un i weddi ar Dduw ei rieni,
Rhaid ymladd hyd farw – rhaid cymryd y coed.'

Ar hyn dyma'r bechgyn yn taro hen emyn,
A'r alaw Gymreigaidd mor bêr ag erioed,
A'r canu rhyfeddaf, ie'r canu dwyfolaf
Oedd canu y bechgyn cyn cymryd y coed.

Ar ôl brwydro gwaedlyd, ac ymladd dychrynllyd,
Enillwyd y frwydr galetaf erioed;
Ond rhwygwyd ein rhengoedd, a llanwyd yn lluoedd
Y beddau dienw wrth odre y coed.

O dan y gerdd, roedd nodyn wedi'i ysgrifennu mewn
llawysgrifen wahanol:

'Barddoniaeth wedi cael ei hysgrifennu ar faes y gad. Yn
anffodus, dewisodd y bardd, fel y beddi, aros yn ddienw.
Rhoddodd y milwr ef i'r canon Cymreig, Robert Edwyn
Roberts, y gŵr gysurodd Johnnie L. Williams cyn iddo farw.'

Gwenodd Owain a chusanu'r amlen. 'Diolch, Taid,'
meddai wrtho'i hun. 'Mae hwn yn wych.'

Syfrdanwyd Mr Lawson pan roddodd Owain ei ffoldcr,
oedd yn cynnwys ei brosiect terfynol, iddo. Roedd Owain
wedi lliwio'r ffolder i wneud iddo edrych fel hen lyfr Johnnie,
ac roedd Mr Lawson wedi gwirioni gyda'r tri gwrthrych
gwerthfawr oedd wedi'u cynnwys.

'Ble ar wyneb y ddaear gefaist ti'r rhain?' gofynnodd.

Aeth Owain i banic, wrth sylweddoli na allai ddweud y
gwir i gyd wrtho neu byddai mewn trwbwl dros ei ben. Ond
allai o ddim dweud celwydd wrth ei athro chwaith.

'Ges i'r gerdd gan fy nhaid,' atebodd. 'Wnaeth o gyfarfod
yr hen gaplan, Robert Edwyn Roberts, amser maith yn ôl.

Cyd-ddigwyddiad oedd o 'mod i wedi dweud wrtho am fy mhrosiect.'

'A'r llun? Mi wnes i argraffu copi o hwnna i ti oddi ar wefan, ond mae hwn yn edrych fel yr un gwreiddiol ...'

'Ges i'r llun gan ffrind i mi,' eglurodd Owain. 'Clywodd o 'mod i'n gwneud y prosiect a'i anfon ataf. Mae'n rhaid i mi edrych ar ei ôl yn ofalus iawn. Gawn ni yrru copi at y trefnwyr a mynd â hwn i'r arddangosfa? Alla i ddim eu colli.'

'A'r tair pluen wen?' gofynnodd Mr Lawson. 'Dim hwn yw'r ...?' Rhythodd ar Owain. 'Na, *all* e ddim bod!'

'Gall,' meddai Owain. 'Yr un ffrind.'

'Ond mae hwnna'n rhywbeth amhrisiadwy. 'Wy'n gwybod yn bendant y byddai Amgueddfa Cymru yn talu ffortiwn am eitem fel 'ma, heb sôn am yr hyn fyddai casglwyr preifat yn barod i'w dalu. 'Wy ddim yn ffan rygbi enfawr ond mae dal hwn yn rhoi ias i mi. Pwy yw'r ffrind 'ma?'

'Byddai'n well gen i beidio â dweud,' meddai Owain. 'Cyfrinach yw hi.'

Syllodd Mr Lawson ar y bachgen ifanc. 'Wel, mae'n rhaid i mi ddweud dy fod ti wedi creu cryn argraff arna i, Owain, gyda'r darn o waith gwych yma. Does dim ots pa mor dda wnei di yn y gystadleuaeth, 'wy'n credu dy fod ti'n bendant yn mynd i gael A yn dy adroddiad ysgol nesaf. Da iawn.'

Enillodd y tîm dan 14 eu dwy gêm nesaf ac roedd pobl eisoes yn dweud mai nhw oedd y ffefrynnau i gipio Cwpan Carwyn James. Roedden nhw'n mynd i fod yn chwarae yn erbyn Treflan yn y rownd gynderfynol ac roedd cynnwrf mawr yn yr ysgol ynglŷn â'r tîm.

Yn anffodus, cafodd y tîm ergyd cyn y gêm fawr.

Roedd Mr Lawson wedi gofyn i Mr Hopcyn a fyddai'n cael ffurfio clwb pêl-droed bach, ond roedd angen tipyn o waith argyhoeddi ar y prifathro. Ysgol rygbi oedd Craig-wen ac ni ellid gadael i ddim amharu ar eu nod o fod yr ysgol rygbi orau yn y sir. Dadleuodd Mr Lawson nad oedd gan lawer o fechgyn siawns o gael eu dewis ar gyfer y tri thîm dan 14 a'u bod yn colli cyfle i gymryd rhan mewn gweithgaredd iachus.

Cytunodd Mr Hopcyn wysg ei drwyn a rhoddwyd cae bach blêr ym mhen pellaf tir yr ysgol i glwb pêl-droed Craig-wen.

Chwarae ymysg ei gilydd wnaethon nhw i ddechrau a chafwyd dim trafferth nes iddyn nhw chwarae yn erbyn Coleg Hafren. Doedd y rhan fwyaf o'r bechgyn oedd yn y tîm ddim yn chwarae rygbi, ond roedd llond dwrn ohonyn nhw'n gwneud hynny. Jest cyn y chwiban olaf, roedd un ohonyn nhw – Joseff Jones – yn wynebu'r gôl-geidwad ar ei ben ei hun, pan faglodd yn ei flaen yn sydyn a disgyn i'r llawr. Rhuodd mewn poen a rhuthrodd Mr Lawson draw ato.

'Beth sy'n bod, Joseff?'

'Aaaaaa, dwi mewn poen ofnadwy, syr. Disgynnais mewn twll a throi fy ffêr. Dwi'n meddwl 'mod i wedi'i thorri, syr,' cwynodd y bachgen.

Yn ffodus i Joseff, doedd ei ffêr ddim wedi torri, ond roedd hi wedi cael ei throi'n ddrwg a dywedwyd wrtho am orffwys am weddill yr wythnos. Golygai hynny ei fod yn mynd i golli rownd gynderfynol Cwpan Carwyn James.

Roedd Mr Hopcyn a Mr Charles yn gandryll – ac fe wnaethon nhw orchymyn Mr Lawson i beidio defnyddio aelodau'r tîmau rygbi o hynny ymlaen – ond doedd Mr McRae ddim wedi'i siomi'n ormodol o golli ei asgellwr chwith. Cafodd air tawel ag Owain cyn sesiwn hyfforddi hamddenol olaf y diwrnod canlynol.

'Reit, capten, dyma be dwi'n ei feddwl,' meddai'r hyfforddwr, Mr McRae. ''Wy am ddod â Dylan ymlaen ar yr asgell. 'Wy wedi bod yn ei wylio tipyn yn ystod yr ymarfer a wy'n cytuno bod ganddo botensial mawr. Mae Dylan braidd yn fychan, mae'n wir, ond mae e'n gyflym ac yn pasio'n dda. Beth wyt ti'n ei feddwl?'

Cytunodd Owain a phenderfynu dweud wrth Dylan ei hun. Roedd gwên Dylan mor llydan â gôl Dreigiau Dolgellau.

'Gwych! Diolch mêt,' atebodd. 'Wna i ddim dy siomi.'

Ac yn sicr, wnaeth Dylan ddim siomi Owain na Mr McRae. Roedd atal yr asgellwr bach yn amhosib a phob tro y cafodd o'r bêl yn ei feddiant, achosodd anhrefn yn amddiffyn Coleg Hafren. Llwyddodd i lithro drosodd am gais cyn hanner amser, er mwyn rhoi Craig-wen ar y blaen o 13–11, ond blodeuodd yn yr ail hanner wrth i ddygnwch y blaenwyr dalu ar ei ganfed.

'Anfonwch y bêl i'r esgyll cyn gynted â phosib,' meddai Owain wrth yr olwyr wrth iddyn nhw ymgynnull hanner ffordd drwy'r ail hanner, pan oedd y sgôr yn 16–14. 'Mae Shane a Dylan yn ddigon cyflym i greu problemau mawr.'

Roedd Owain yn iawn a chroesodd Dylan am dri chais arall wrth i Graig-wen frasgamu am y rownd derfynol. Wrth i chwiban olaf y dyfarnwr atsain, roedd y sgorfwrdd yn dangos buddugoliaeth bendant o 35–14 i dîm Mr McRae. Ysgydwodd Mr McRae law pawb wrth iddyn nhw gyrraedd y stafell newid.

'Roedd honna'n gêm arbennig,' dywedodd wrth ei dîm. ''Wy'n falch iawn o'r hyn gyflawnoch chi allan yna heddiw, sy'n ffrwyth yr holl waith ry'ch chi wedi bod yn ei wneud yn ystod yr ymarferion. Nawr, i ffwrdd â chi i fwynhau gweddill y noson achos 'wy eisiau i chi i gyd godi'n gynnar er mwyn i ni gael sesiwn cyn y gwersi fory. Byddwn yn cwrdd yn y neuadd am saith o'r gloch y bore.'

Syllodd y bechgyn ar ei gilydd. Roedd hwn yn gryn aberth ond roedden nhw'n deall bod ganddyn nhw gyfle am fwy o lwyddiant ac roedden nhw'n barod i wneud beth oedd raid.

'Wn i ddim am y gweddill ohonoch chi, ond fydda i'n methu cysgu winc heno,' chwarddodd Dylan wrth iddo daflu ei fag dros ei ysgwydd a cherdded allan o'r stafell newid gyda'i law uwch ei ben, yn dangos pedwar bys i ddynodi pob un o'i geisiau.

Neuadd Dewi Sant, yng nghanol Caerdydd, oedd lleoliad rownd derfynol cystadleuaeth Hanesydd Ifanc y Flwyddyn, ac roedd disgwyl i gannoedd o fechgyn a merched ifanc o bob cwr o Gymru ddod yno i arddangos y prosiectau roedden nhw wedi bod yn gweithio arnyn nhw dros y gaeaf. Roedd Owain wedi gwirioni pan ddywedodd Mr Lawson wrthyn nhw'r wythnos cynt fod wyth o'r bechgyn – gan gynnwys Owain – wedi cael eu dewis i gyflwyno'u gwaith ar stondin yn yr arddangosfa.

Y noson cynt, crwydrodd Owain i lawr at y nant, yn cario'r darn o ddefnydd coch a'r llun o eiddo Johnnie L. Williams. Ymddangosodd yr ysbryd ymhen rhai eiliadau.

'S'mai, Johnnie. Dim ond dod yma i ddweud bod fy mhrosiect wedi cael ei dderbyn ar gyfer yr arddangosfa – bydd yn cael ei arddangos am dridiau. Fyddwch chi'n medru dod i Barc yr Arfau ar gyfer y gêm gwpan wythnos nesa?'

'Mae hwnna'n newyddion gwych. Pob lwc gyda'r ddau beth. 'Wy'n siŵr galla i grwydro i'r cae ar gyfer y gêm. Bydd hi'n braf cael cip ar y lle wedi'r holl flynyddoedd.'

Gan fod cynifer o'r athrawon wedi dweud pethau hyfryd am ei brosiect, roedd Owain yn nerfus wrth i'r beirniaid ddirwyn i ben. Roedd o wedi adduro ei stondin bychan gyda lluniau o wahanol gyfnodau o fywyd Johnnie L. Williams ac roedd wedi copïo'r gerdd ar gerdyn melyn, mewn llythrennau bras. Rhoddodd y ddogfen gan ei daid yn sownd wrth hwnnw.

Gwnaeth blatfform bychan drwy orchuddio tun bisgedi â phapur glas, sgleiniog a rhoddodd y llun gwreiddiol o wraig Johnnie arno, gan osod y tair pluen wrth ei ymyl. Roedd ei enw o a'i ysgol wedi'u hargraffu mewn llythrennau du ar ben y stondin.

Edrychodd o gwmpas y neuadd. Roedd llawer o fyfyrwyr eraill wedi cynhyrchu prosiectau anhygoel – am y Pla Du, Hen Wlad Groeg, mymïaid Eifftaidd a brwydrau gwaedlyd o'r gorffennol. Roedd Owain yn sicr nad oedd gan ei ymgais o siawns yn erbyn yr arddangosfeydd lliwgar eraill.

Cafodd prosiect Dylan ei ddewis hefyd, ac roedd wedi gosod ei arddangosfa ar stondin gyferbyn ag un Owain. Mwynhaodd y bechgyn siarad am eu gwaith gyda'r myfyrwyr eraill, y beirniaid a'r aelodau o'r cyhoedd a alwai heibio. Pan oedd hi'n dawel, bu'r ddau'n trafod y gêm fyddai'n gweld Craig-wen a Sant Oswyn yn wynebu ei gilydd unwaith eto.

'Fyddan nhw ddim hanner mor hawdd eu trechu ar Barc yr Arfau,' meddai Dylan. 'Byddan nhw'n awchu i ennill yr ail waith. Dwi'n gobeithio gwnaiff Richie gau ei hopran y tro yma.'

'Hy, dwyt ti ddim yn gwneud dim byd efo Richie bellach, wyt ti?'

'Na, dwi'n cadw o'i ffordd ac mae o ychydig bach yn rhy swnllyd i mi,' eglurodd Dylan.

Yna gofynnodd rhyw ddyn gwestiwn i Owain am ei brosiect. Wrth iddo'i ateb, sylwodd Owain fod Dylan yn rhythu ar gefn pen y dyn, ei wyneb yn llawn braw. Trodd a rhedeg i un o'r neuaddau eraill oedd gerllaw.

Daliodd Owain i siarad gyda'r dyn, a edrychai'n ddigon dymunol.

'Dywedwch wrtha i, ers pryd y'ch chi yng Nghraig-wen, felly?' gofynnodd.

'Dwi ar fy ail flwyddyn,' atebodd. 'Wedi dod yno o Ddolgellau ydw i.'

'Wir?' meddai'r dyn, gan ddangos diddordeb yn sydyn. 'Dim ond bore 'ma y teithies i o'r dre honno – a lle braf ydi e, hefyd.'

'Ydych chi'n byw yno?' gofynnodd Owain.

'Na, aros mewn gwesty yng nghanol y dre ro'n i. Mae gen i deulu yn byw yno ac ro'n i wedi galw i'w gweld. Wyt ti'n adnabod unrhyw fechgyn eraill o Ddolgellau sydd yng Nghraig-wen?'

Yn sydyn, cafodd Owain deimlad annifyr am y dyn a'i gwestiynau, ac ysgydwodd ei ben yn gyflym.

'Na, fi ydi'r unig un,' meddai.

Edrychodd y dyn dros ysgwydd Owain, ar brosiect Dylan ar fytholeg Geltaidd. 'Mae hwnna yn edrych yn ddigon difyr hefyd. Ble mae'r bachgen luniodd hwnna?'

Gostyngodd Owain ei ysgwyddau a dweud, 'Wn i ddim. Roedd o yma ddau funud yn ôl.'

Treuliodd y dyn ychydig funudau yn edrych ar brosiect Dylan cyn edrych ar ei oriawr ac ochneidio. Wrth iddo droi ymaith, gollyngodd ei waled ar y llawr. Plygodd Owain i'w chodi a'i dychwelyd i'r dieithryn.

'Cofia ddweud wrth y bachgen 'mod i'n meddwl bod y prosiect 'ma'n ardderchog,' meddai. 'Ond ddim cystal â dy un di, wrth gwrs.'

Yna diflannodd. Gwyliodd Owain wrth iddo anelu am y fynedfa a cheisiodd gysylltu gyda Dylan ar ei ffôn symudol.

Ond roedd y llinell yn brysur. Daliodd Owain ati i drio am nifer o funudau, cyn i Dylan ei ateb.

'Ydi o wedi mynd?' gofynnodd Dylan yn nerfus.

'Ydi, adawodd o'r adeilad tua deng munud yn ôl,' meddai Owain. 'Pwy oedd o?'

Ond roedd Dylan eisoes wedi dod â'r alwad i ben. Daeth yn ôl at y stondin a'i wyneb fel y galchen, ac edrychai o'i gwmpas drwy'r amser.

'Dwi wedi ffonio Mr Hopcyn ac mae o'n dod i fy nôl i,' eglurodd. 'Wnei di gadw llygad ar fy mhrosiect, Owain?'

'Gwnaf, wrth gwrs,' atebodd. 'Roedd y dyn 'na'n gofyn pob math o gwestiynau am yr ysgol. A dywedodd hefyd mai newydd deithio o Ddolgellau roedd o. Pwy ydi o?'

'Paid â dweud gair wrth neb am hyn, Owain, ond ... fo ydi 'nhad i! O na!' ychwanegodd. 'Mae'n edrych fel ei fod o wedi dwyn rhywbeth oddi ar dy stondin di.'

Trodd Owain yn sydyn at lle roedd Dylan yn pwyntio. Yno, ar ben ei blatfform glas, safai'r llun roddodd Johnnie iddo. Ond roedd y defnydd coch a'r tair pluen wen arno wedi diflannu.

PENNOD DEUDDEG AR HUGAIN

Galwodd Owain yn swyddfa'r arddangosfa i ddweud wrthyn nhw am y lladrad ond doedd y trefnwyr ddim yn ffyddiog y byddai'r bathodyn yn cael ei ddychwelyd. Sylweddolodd Owain fod y dieithryn wedi gollwng ei waled yn fwriadol, er mwyn tynnu ei sylw, a'i fod wedi bachu'r darn defnydd pan blygodd Owain i'w chodi. Roedd wedi styrbio ac yn ofni drwy waed ei galon beth fyddai Johnnie yn ei ddweud am golli'r bathodyn amhrisiadwy.

Wnaeth Mr Hopcyn ddim dangos fawr o ddiddordeb pan gyrhaeddodd o, chwaith, gan ei fod a'i fryd ar gael Dylan allan o'r neuadd.

Dychwelodd awr neu ddwy yn ddiweddarach, erbyn y seremoni wobrwyo.

Roedd Owain yn dal i feddwl am y lladrad pan gododd y prif feirniad i gyhoeddi enwau'r enillwyr. Bu'n parablu am safon yr ymgeisiau a pha mor galonogol oedd gweld bod myfyrwyr Cymru yn llawn brwdfrydedd dros eu pwnc, ac ... yna dechreuodd Owain wrando'n astud. Beth oedd y beirniad newydd ei ddweud?

Roedd Alun yn sefyll wrth ei ymyl a phrociodd ef yn ei asennau. Aeth y beirniad yn ei flaen: '... prosiect diddorol sy'n defnyddio arteffactau gwych ac adroddiadau manwl gan lygad-dystion am chwaraewr rygbi arbennig gafodd ei eni yn yr Eglwys Newydd ac a wnaeth ei enw fel capten rygbi Cymru. Mae gwobr Hanesydd Ifanc y Flwyddyn eleni yn cael ei rhoi i fachgen o Goleg Craig-wen yng Nghaerdydd – Owain Morgan!'

Syfrdanwyd Owain. Doedd o ddim wedi credu'r athrawon pan ddywedon nhw wrtho mor dda oedd ei brosiect – ond roedden nhw wedi cael eu profi'n iawn. Agorodd ei geg pan brociodd Alun ef eilwaith. 'Dos, Owain. Maen nhw dy eisiau di ar y llwyfan.'

Wyddai Owain ddim ble i edrych wrth iddo sefyll o flaen y cannoedd o bobl, a'r rheini'n syllu i fyny arno. Roedd dau gamera teledu yn pwyntio'n syth ato a chwifiai un o weinidogion y llywodraeth gwpan arian fawr i'w gyfeiriad. Rhoddodd y wobr i Owain, yn ogystal ag amlen, ac yn sydyn rhoddwyd y microffon o dan ei drwyn hefyd. Rhythodd y bachgen arno am funud, yna edrych ar y gynulleidfa.

'Diolch. Diolch yn fawr iawn,' meddai. 'Diolch i fy athrawon, fy nhaid, ac i'r holl ffrindiau wnaeth fy helpu.'

Roedd sefyll ar y llwyfan braidd yn frawychus a doedd o wir ddim yn gwybod beth arall i'w ddweud, felly rhoddodd y microffon yn ôl, ac aros wrth i ddwsin o ffotograffwyr ei lusgo at wahanol griwiau o bobl i dynnu lluniau. Roedd y cyfan fel breuddwyd.

Yn y diwedd, cerddodd Owain i lawr y grisiau i neuadd wag a dychwelyd i'w stondin. Roedd o wedi mynd â'r hen lun efo fo, ond roedd absenoldeb tair pluen wen Johnnie yn ei blagio.

'Owain Morgan, am newyddion gwych!' daeth cri o gefn y neuadd. Roedd Mr Hopcyn a Mr Lawson yn rhuthro tuag at eu disgybl, a rhoddodd y prifathro ei law i Owain a'i hysgwyd yn frwd.

'Gwobr haeddiannol am brosiect gwych,' byrlymodd. 'Dywedodd y beirniaid dy fod ti wedi dangos dealltwriaeth ryfeddol o sut beth oedd bod yn ffosydd Fflandrys. Ac roedden nhw'n meddwl bod dy stori di am sut y bu farw Johnnie L. Williams yn arbennig iawn – bron fel petaet ti yno.

'Ti hefyd wedi ennill gwobr wych i'r ysgol, sef taith i unrhyw safle hanesyddol yn Ewrop. Ga i air gyda Mr Mathews a Mr Lawson ynglŷn â ble awn ni â'r bechgyn,' ychwanegodd y prifathro.

'Syr, dwi ddim eisiau ymddangos yn eofn,' meddai Owain, 'ond baswn i'n hoffi awgrymu ein bod ni'n mynd i Goedwig Mametz yn Ffrainc i weld maes y gad a'r mynwentydd. Dwi'n meddwl y byddai'r dosbarth yn gwerthfawrogi hynny.'

Oedodd Mr Hopcyn ac edrych ar Mr Lawson. 'Wel, Owain enillodd y trip,' meddai'r athro hanes. 'Fe ddylai roi ei farn ...'

Nodiodd Mr Hopcyn. 'Wyt ti'n siŵr na fyddai'n well gennyt ti fynd i Rufain neu Athens, neu rywle cynnes a heulog fel yna?' gofynnodd.

'Ydw, yn berffaith siŵr. Gogledd-ddwyrain Ffrainc yn bendant, gan y bu cymaint o Gymry'n brwydro yno.'

PENNOD
TRI AR DDEG AR HUGAIN

Am yr ail waith mewn blwyddyn, Owain oedd arwr Craig-wen, ond pryderai'n fwy am Dylan ac am drysor coll Johnnie.

Roedd Dylan wedi cael ei symud o'r llofft a bellach roedd yn byw yn nhŷ'r prifathro.

'Mae Mrs Hopcyn yn gogyddes wych,' meddai wrth ei ffrindiau, rhwng dosbarthiadau un diwrnod. 'Mae hi wedi fy nifetha fi efo'r gwleddoedd anferth mae hi'n eu rhoi i mi. Pwdin bob diwrnod hefyd.'

'Gofal rŵan, neu fyddi di ddim mewn unrhyw gyflwr i redeg i fyny ac i lawr yr asgell 'na,' rhybuddiodd Owain. 'Ti ydi'n harf cudd ni yn y gêm gwpan – dydi bechgyn Sant Oswyn erioed wedi dy weld di o'r blaen.'

Ar ôl y gwersi, cynigiodd Alun fod Owain ac yntau'n mynd i redeg.

'Beth wyt ti'n feddwl sy'n digwydd efo Dylan?' gofynnodd wrth iddyn nhw loncian o gwmpas y maes chwarae. 'Mae'r cwbl yn ddirgelwch mawr.'

'Alla i ddim dweud wrthat ti, Alun, ond digwyddodd rhywbeth yn Neuadd Dewi Sant ac mae pawb yn poeni amdano. Dwi'n gobeithio gwnân nhw adael iddo chwarae yn y gêm gwpan,' atebodd Owain.

'A sôn am Neuadd Dewi Sant, ddywedaist ti wrth yr ysbryd dy fod ti wedi colli ei fathodyn?'

'Na. A bod yn onest, dwi wedi bod yn osgoi'r peth am ychydig ddyddiau. Wyt ti eisiau mynd yno rŵan i roi ychydig bach o gefnogaeth i mi?' gofynnodd Owain.

Cerddodd y ddau i'r coed, ar ôl piciad i mewn i'r llofft i gasglu'r llun o Johnnie L. Williams. Bu Alun ac Owain yn eistedd ar y garreg yn sgwrsio am ychydig funudau cyn i'r ysbryd ymddangos yn ei iwnifform.

'Shwmai, Owain? Pwy yw dy ffrind?' gofynnodd.

'S'mai, Johnnie. Alun ydi hwn. Mae o'n rhannu llofft efo fi yn yr ysgol.'

Rhythodd Alun yn gegagored. Nid oedd erioed wedi gweld ysbryd o'r blaen ond roedd Owain wedi siarad cymaint am ei ffrindiau arallfydol fel nad oedd arno ofn o gwbl.

'Mae'n hyfryd dy gyfarfod di, gw'boi – ai fy llun i yw hwnna sy' gyda ti'n y fan yna, Owain?' gofynnodd Johnnie.

'Ia, a gwnaeth o fy helpu i gipio'r cwpan yn y gystadleuaeth hanes,' atebodd, gan fynd ymlaen i sôn am y wobr.

'Mae hwnna'n newyddion gwych, da iawn. Felly maen nhw i gyd yn siarad am Johnnie L. Williams a hen dîm Cymru, ydyn nhw?'

'Ydyn, maen nhw. Roedd gan nifer o bobl ddiddordeb mawr yn y stori. Roedd o hyd yn oed ar y teledu ...' Oedodd Owain gan sylweddoli fod Johnnie wedi hen farw cyn bod teledu wedi'i ddyfeisio.

'Ble mae'r tair pluen?' gofynnodd Johnnie.

'Wel, dyma pam ddes i yma i siarad efo chi. Wnaeth lleidr ddwyn y bathodyn oddi ar y stondin pan wnes i droi fy nghefn am eiliad. Mae'r prifathro wedi dweud wrth yr heddlu, felly gyda lwc, caiff ei ddychwelyd. Mae wirioneddol ddrwg gen i. Dim ond am eiliad wnes i droi fy nghefn ...'

Daeth cwmwl o siom dros wyneb Johnnie. 'O, mae hynna'n drueni ofnadwy,' ochneidiodd, 'ond o leiaf wnest ti ddim colli fy llun. Byddai hynny wedi bod yn ormod i'w ddioddef. Gad i mi wybod os daw'r tair pluen i'r fei, wnei di?'

'Wrth gwrs,' meddai Owain. 'Mae'r gêm gwpan ar Barc yr Arfau fore dydd Sadwrn. Dwi'n gobeithio gallwch chi ddod.'

'Bydda i yno, 'wy'n meddwl. Cwrddais i ag ysbryd arall yn crwydro o gwmpas fan hyn, ac mae e'n dipyn o fachan rygbi ei hunan. Dic yw ei enw. Mae e am fy hebrwng i yno.'

PENNOD
PEDWAR AR DDEG AR HUGAIN

Gwawriodd diwrnod y gêm gwpan ac roedd yr awyr yn las a llachar yng Nghaerdydd, er ei bod hi ychydig yn rhynllyd. Roedd Dylan yn dal i fyw yn nhŷ'r prifathro, ond ymunodd â'r tîm am frecwast yn y brif neuadd.

'Wel, fechgyn, roedd Mrs Hopcyn yn gwrthod gadael i mi gael dau frecwast, a hithau'n ddiwrnod y gêm fawr, felly dwi 'nôl efo'r werin yn fan hyn heddiw,' meddai dan gellwair.

'Hy! Ti'n magu tipyn bach o fol efo'r holl hufen iâ 'na mae hi'n ei roi i ti,' wfftiodd Rhodri.

'Och, Rhodri, baswn i'n dal yn gynt na ti, hyd yn oed petai gen i wledd ddeg cwrs yn fy mol,' atebodd Dylan yn chwim.

'Reit, chi'ch dau, stopiwch hi'n fan'na. Ry'n ni i gyd yn yr un tîm heddiw a dwi ddim eisiau unrhyw gecru,' meddai Owain.

Gwenodd y ddau gystadleuydd ac ysgwyd llaw. 'Dim ond tynnu coes, Owain,' chwarddodd Dylan. 'Dwi'n mwynhau fy rôl newydd fel dewin yr asgell. Bydda i'n anelu am y gapteniaeth nesaf!'

'Croeso i ti ei chael hi,' gwenodd Owain. 'Mae hi'n fwy o drafferth na'i gwerth weithiau.'

Bu'r bechgyn yn trafod y diwrnod mawr oedd o'u blaenau ac eglurodd Owain fod ei deulu i gyd yn dod o Ddolgellau i weld y gêm.

'O diar, dylwn i fod wedi gofyn,' meddai Dylan. 'Mae fy mam a'm chwaer yn dod hefyd – ond dwi'n meddwl eu bod nhw'n dal y bws. Dwi'n siŵr na fyddai dy dad wedi meindio dod â nhw ...'

'Na, byddai wedi bod wrth ei fodd. Mi wna i weld a fedra i gael lifft adref iddyn nhw beth bynnag,' atebodd Owain.

Roedd y gêm i'w chynnal cyn un o ornestau mawr tîm Caerdydd ac felly'n dechrau am 12.30. Ar ôl brecwast, aethpwyd â'r bechgyn mewn bws i Barc Bute, lle cerddon nhw drwy'r parc – rhan o draddodiad disgyblion Craig-wen ers degawdau lawer. O'r fan honno, roedden nhw'n cerdded i Barc yr Arfau, er mwyn casglu eu bagiau cit.

Roedd bechgyn Craig-wen yn yr un stafell newid â'r llynedd, a dywedodd Mr Hopcyn wrthyn nhw fod hyn yn arwydd y bydden nhw yr un mor llwyddiannus heddiw.

Doedd Mr McRae ddim wedi'i argyhoeddi, fodd bynnag. 'Reit, fechgyn,' meddai wedi i'r prifathro adael, 'peidiwch â ffwdanu gyda dim o'r ofergoeliaeth 'na. Rhowch eich troed cwningen yn eich bag ac anghofiwch am unrhyw gathod du wnewch chi eu gweld heddiw. Y rygbi sy'n bwysig, a'ch gallu chi i roi mwy o bwyntiau ar y sgorfwrdd na Sant Osllwyn, neu beth bynnag ydi eu henwau.

'Ar ôl eich gweld chi'n chwarae yn erbyn y tîm yma ddwywaith, 'wy'n gwybod bod gennych chi well sgiliau, ac rydyn ni wedi creu cynllun da i'w trechu eto. Ond os na wnewch chi ddilyn y cynllun a chefnogi eich cyd-chwaraewyr bob cyfle gewch chi, yna chawn ni mo'r pwyntiau 'na. Felly ewch allan ar y cae 'na a gwnewch eich gorau glas. Ry'ch chi'n mynd i ddod â Chwpan Carwyn James adre efo chi heddiw, felly ewch amdani – er mwyn eich hunain, eich ffrindiau, eich teuluoedd, ac er mwyn Craig-wen.'

Rhedodd y timau allan ar y cae enwog ac ar ôl ychydig funudau o gicio a phasio'r bêl, chwythodd y dyfarnwr ei chwiban a galw'r capteiniaid ynghyd. Roedd Owain wedi bod yn canolbwyntio cymaint ar y gêm fel ei fod wedi anghofio edrych am ei deulu yn yr eistedde. Doedd dim golwg ohonyn nhw yn y bocs noddwyr lle roedden nhw y llynedd, ond buan y gwelodd o nhw, gan nad oedd ond ychydig gannoedd o gefnogwyr yno, ac roedd y rhan fwyaf ohonyn nhw'r un oed ag o neu'n iau. Cododd ei law yn sydyn ar ei deulu cyn ailgydio yn ei ddyletswyddau fel capten.

Sant Oswyn oedd â'r meddiant ar ddechrau'r gêm a buan y gwnaeth y tîm ddangos eu bod wedi gwella ers iddyn nhw gael eu curo'n rhacs pan chwaraeon nhw yng Nghraig-wen y tro dwytha. Arweiniodd eu hymosodiad cyntaf at gais a ddilynwyd gan drosiad pwerus i'w rhoi ar y blaen o 7–0 – a hynny cyn i lawer o'r cefnogwyr eistedd, hyd yn oed. Edrychodd Owain at Rhodri wrth iddo baratoi i gicio i ailddechrau'r gêm.

'Does dim i boeni amdano, Owain. Jest cofia beth ddywedodd Mr McRae wrthyn ni,' meddai'r mewnwr.

Cyfnewidiodd y ddwy ochr giciau cosb yn ystod yr hanner cyntaf, ond gydag amser yn mynd yn ei flaen, bachodd Craig-wen y bêl yn lân o sgrym eu gwrthwynebwyr. Saethodd Rhodri y bêl yn ôl i Owain a welodd fwlch mawr yn agor y tu ôl i asgellwr chwith Sant Oswyn. Siglodd ei droed chwith yn dyner a chwipio'r bêl dros y blaenwyr, a'i gwylio'n bownsio ar hyd y ddaear tua'r lluman cornel. Yn sydyn, ac mewn môr o wyrdd a gwyn, melltiodd Dylan ar hyd yr ystlys, heibio i'w farciwr, a deifio wrth i'r bêl lanio ar y llinell gais. Tiriodd y bêl gyda'i ddwylo, a disgynnodd ar ei wyneb ar y glaswellt meddal.

Cododd ar ei draed, ei freichiau wedi'u codi, yn barod am goflaid ei gyd-chwaraewyr. Ar ôl ychydig eiliadau, chwalodd y dyfarnwr y criw balch, a dweud wrth Owain am drosi'r cais. Wrth iddo gerdded yn ôl, clywodd floedd fain o'r eisteddle.

'Gwych, Dylan, gwych!' Daeth gwaedd uchel oedd yn hawdd ei chlywed gan fod y stadiwm bron yn wag.

Gwenodd Owain ac edrych i fyny a gweld Cadi, chwaer Dylan, yn chwifio'i breichiau arno. Roedden nhw'n eistedd wrth ymyl rhieni Owain ond pan bwyntiodd Taid at y pyst, gwyddai Owain fod yn rhaid iddo ganolbwyntio ar y gic anodd. Roedd gwynt anarferol yn chwyrlïo drwy'r stadiwm a brwydrai Owain i feistroli'r bêl. Roedd yn rhy bell o'r pyst i geisio'i hergydio'n union gyda blaen ei droed, felly cododd hi'n uchel i'r awyr, gan obeithio y byddai'r gwynt yn ei chario rhwng y pyst. Yn anffodus, ar yr eiliad olaf, daeth hyrddiad o awel fain a tharo'r bêl yn erbyn y postyn ac yn ôl i'r cae wrth i'r llumanwyr chwifio'r baneri o flaen eu coesau. Daeth y chwiban i nodi ei bod hi'n hanner amser. 10–8 i Sant Oswyn.

'O leiaf mae hynna'n well na llynedd,' mwmialodd Rhodri wrth iddyn nhw gerdded oddi ar y cae. 'Roedd hi'n 10–0 iddyn nhw yr adeg honno, cofio?'

PENNOD PYMTHEG AR HUGAIN

Siaradodd Mr McRae yn dawel â'r tîm yn yr egwyl. Eglurodd yn gyflym lle roedden nhw'n mynd o'i le ond mynnodd nad oedd yn poeni o gwbl; gwyddai fod gan Graig-wen y gallu a'r sgiliau i ennill y frwydr. Cafodd air sydyn ag Owain cyn iddyn nhw fynd yn ôl ar y cae.

'Siarada gyda dy gefnwyr, Owain. Maen nhw angen ychydig bach o gyfarwyddyd ac mae eisiau iddyn nhw ganolbwyntio mwy,' meddai. 'Mae Dylan yn cadw edrych draw i'r eisteddle – mae'n siŵr fod chwarae mewn stadiwm mor fawr wedi dweud arno ryw fymryn, ond gallai golli cic hir neu bas os nad yw e'n canolbwyntio.'

Edrychodd Owain ar y cloc a sylweddoli bod ganddyn nhw rai munudau'n sbâr. Penderfynodd fynd i'r tŷ bach, yn union fel y gwnaeth y llynedd. Ac, yn union fel y llynedd, roedd Dic yno.

'Ti'n chwarae'n dda, Owain. Faswn i ddim yn poeni rhyw lawer am fod ar ei hôl hi ar y sgorfwrdd. 'Wy'n hoffi golwg yr asgellwr bach 'na – mae ganddo draed chwim. Cwrddais i â dy gyfaill, Johnnie L. Williams. Mae e ychydig yn grac am dy fod ti wedi colli'r bathodyn, ond mae e'n maddau i ti. Nawr cer yn ôl ar y cae 'na a dangos i mi gymaint wyt ti wedi gwella ers llynedd.'

Dechreuodd yr ail hanner yn ddramatig, wrth i Pedr Hywel o ail reng Craig-wen daranu i lawr y cae, a chyrraedd pedwar metr o'r llinell gais cyn iddo gael ei atal. Rheolodd

Craig-wen y bêl drwy gyfres o rycs, cyn i Rhodri fflipio'r bêl heibio i Owain lle roedd Richie'n aros amdani. Taclwyd Richie ar y llinell. Wrth iddo ryddhau'r bêl, cipiodd Dylan hi a'i thirio'n galed. Cais i Graig-wen – roedden nhw ar y blaen!

Edrychodd Dylan i fyny at ei fam a'i chwaer yn yr eisteddle, a synnu gweld nad oedden nhw yno.

'Mae'n rhaid eu bod nhw'n hwyr yn dychwelyd o'u paned hanner amser,' awgrymodd Owain wrth iddo baratoi i gicio'r bêl drosodd ar gyfer y pwyntiau fyddai'n eu rhoi 15-10 ar y blaen.

'Oes unrhyw un wedi sgorio tri chais ar ei ymddangosiad cynta ar Barc yr Arfau?' gofynnodd Dylan yn ymffrostgar, wrth i Graig-wen fwynhau ychydig funudau o hoe, tra bod un o brops Sant Oswyn yn cael ei drin gan y therapydd ffisio.

'Cymer bwyll, Dylan,' brathodd Owain. 'Yr unig beth sy'n bwysig heddiw ydi'n bod ni'n gorffen y gêm gyda mwy o bwyntiau na nhw – gêm tîm ydi hi, cofia.'

Nodiodd Dylan a phlygu ei ben mewn cywilydd. Cerddodd allan i'r asgell chwith a disgwyl i'r gêm ailddechrau.

Gyda phum munud yn weddill, roedd Craig-wen yn dal ar y blaen o bum pwynt, ond roedd Sant Oswyn wedi bod yn eu hanner nhw am sbel ac edrychai'n fwyfwy tebygol eu bod am sgorio. Bu bron i fagliad gan Owain achosi trychineb wrth i'w farciwr weld y bwlch, a bu bron iddo lwyddo i dorri drwodd. Lloriodd tacl galed gan Richie Davies ef a chododd Owain ei fawd i'w longyfarch.

Fflipiodd mewnwr Sant Oswyn y bêl i lawr y llinell, a cheisiodd y canolwr wneud pas hir allan i'r asgellwr chwith, a safai ger yr ystlys. Gyda meddwl a symudiad rhyfeddol o chwim, llamodd Dylan i mewn i'r bwlch a chipio'r bêl o'r awyr. Trawodd hi o dan ei fraich a rhuthro i fyny'r cae cyn gyflymed ag y gallai'i goesau ei gario. Carlamodd olwyr y gwrthwynebwyr ar ei ôl, ond buan y sylweddolon nhw y byddai'n amhosibl dal yr asgellwr bach.

Rhuthrodd Rhodri, oedd wedi gweld y symudiad, i gefnogi Dylan ac roedd o wrth ei ysgwydd wrth iddo gyrraedd y llinell gais. Edrychodd Dylan yn ôl a phan welodd ei gyn-gystadleuydd am safle'r mewnwr, pasiodd y bêl yn araf a thyner ato. Gwenodd Rhodri a thirio'r bêl rhwng y pyst, cyn troi a chofleidio Dylan.

Rhedodd y ddau yn ôl i'r llinell hanner ffordd, y naill gyda'i fraich dros ysgwydd y llall.

Mwythodd Owain bennau'r pâr, gan ganmol Dylan am ymddwyn mor fawrfrydig. Yn dilyn y cais a'r trosiad, roedd Craig-wen ar y blaen o 22–10; doedd gan Sant Oswyn ddim gobaith caneri o ennill y gêm.

Pan ddaeth y chwiban olaf, rhedodd Dylan at Owain, ond nid edrychai'n ddim byd tebyg i chwaraewr oedd newydd ennill y cwpan i'w ysgol ar Barc yr Arfau.

'Wyt ti wedi gweld Mam a Cadi?' gofynnodd yn ofidus. 'Dwi ddim wedi'u gweld o gwbl yn ystod yr ail hanner. Dydi hynna ddim fel Cadi o gwbl – mae'n amhosib peidio sylwi arni.'

Trodd Owain a gweld Mr McRae yn loncian ar y cae ac roedd yn anelu'n syth atyn nhw. Roedd Mr Hopcyn wrth ei gwt gydag aelod o'r heddlu.

PENNOD
UN AR BYMTHEG AR HUGAIN

'Ry'n ni moyn i ti ddod gyda ni nawr, Dylan,' meddai'r prifathro'n bwyllog. 'Mae rhywbeth wedi digwydd ac ry'n ni angen gwneud yn siŵr dy fod ti'n ddiogel.'

'Wrth gwrs 'mod i'n ddiogel,' meddai Dylan. 'Dwi wedi bod yn chwarae rygbi am yr awr a hanner dwytha, a heblaw am ambell gnoc, dwi'n iawn.'

'Na, 'machgen i,' meddai'r heddwas. 'Ry'n ni angen gwneud yn sicr dy fod yn ddiogel. Mae dy chwaer wedi diflannu ac ry'n ni'n chwilio ym mhobman amdani. Mae gennym le i feddwl dy fod ti'n darged hefyd.'

'Targed!' dywedodd Dylan. 'I bwy?'

'Ry'n ni'n meddwl bod dy dad wedi cipio Cadi,' meddai'r prifathro. 'Cafodd ei weld ar bwys y stadiwm heddi. Aeth dy chwaer i brynu diod hanner amser ond ddaeth hi ddim yn ôl i'w sedd. Mae dy fam druan yn poeni'n ofnadw. Nawr dere gyda'r Arolygydd Conran fan hyn ac fe wnaiff e ofalu amdanat.'

Gadawodd Dylan gyda'r arolygydd yn syth, gyda llaw'r heddwas yn gadarn ar ysgwydd y bachgen, wrth iddyn nhw gerdded oddi ar y cae.

'Mae'n siŵr y byddai'n well i ti fynd i nôl y tlws rŵan, capten,' meddai Mr McRae. 'Paid â sôn am hyn wrth y tîm. Byddan nhw'n clywed am y peth yn ddigon clou ac mae angen iddyn nhw fwynhau'r fuddugoliaeth – a llongyfarchiadau, gyda llaw – roedd honna'n gamp a hanner.'

Cerddodd Owain yn araf oddi ar y cae, ei ben yn troi ar ôl yr hyn roedd o newydd ei glywed. Gwyddai fod tad Dylan yn ddihiryn, ond roedd cipio Cadi yn beth ofnadwy i'w wneud.

Cymeradwyodd cefnogwyr Craig-wen wrth i ddwsinau o bobl guro Owain ar ei gefn wrth iddo ddringo'r grisiau at focs y pwysigion i gasglu Cwpan Carwyn James. Rhoddodd araith fer, gan ddiolch i bawb oedd wedi helpu'r tîm, ond wnaeth o ddim mwy na hynny. Roedd eisiau dychwelyd i'r stafell newid cyn gynted â phosib.

Casglodd ei gwpan a'i fedel, cyn mynd i lawr y grisiau fesul dwy. Ar y gwaelod, rhoddodd y cwpan i Mr Hopcyn a mynd i mewn i'r stafell newid.

Aeth Owain heibio nifer o heddweision ar y ffordd a chyrraedd y stafell fel roedd Dylan, oedd wedi newid erbyn hyn, yn gadael. Roedd ei gyd-chwaraewr wedi styrbio'n ofnadwy ac ysgydwodd yr Arolygwr Conran ei ben wrth i Owain edrych arno.

Wrth i Dylan adael, rhoddodd Owain ei law ar ei ysgwydd a sibrwd, 'Bydd popeth yn iawn.'

Cyrhaeddodd gweddill y tîm y stafell newid rai munudau wedyn, ond buan y daeth eu gorfoledd i ben pan siaradodd Rhodri.

'Beth oedd y busnes 'na efo Dylan yn ystod y chwiban ola? Beth oedd yr heddlu yn ei wneud ar y cae?' gofynnodd, gan edrych ar Owain.

'Alla i ddim dweud,' atebodd y capten. 'Jest mwynhewch y fuddugoliaeth, fechgyn – falle ein bod ni wedi bod yn yr union le y llynedd gyda'n medalau enillwyr, ond dydi hynny ddim yn golygu y cawn ni'r cyfle byth eto. Joiwch, a byddwch yn falch, fechgyn. Ry'ch chi wirioneddol yn ei haeddu.'

Ond doedd neb wir yn gallu meddwl am ddathlu, er gwaetha'r hyn ddywedodd Owain, a gwyddai pawb fod rhywbeth mawr o'i le ar Dylan.

Aeth Owain i'r tŷ bach unwaith eto, er mwyn dianc rhag y cwestiynau a'r hwyliau prudd.

Wrth iddo edrych yn y drych, ymddangosodd Dic y tu ôl iddo'n sydyn. 'Owain, dere glou,' dywedodd. ''Wy wedi gweld rhywbeth ofnadw'n digwydd a gobeithio y galli di helpu.'

'Pam, beth sy'n bod?' gofynnodd Owain.

'Ro'n i lan yn y dec canol yn ystod hanner amser,' meddai Dic, 'yn crwydro o gwmpas, ac fel ro'n i'n anelu am y grisiau ar gyfer yr ail hanner, gwelais ddyn mawr cydnerth yn cipio'r groten fach 'ma gyda gwallt coch. Ddaeth e lan y tu ôl iddi a rhoi hances dros ei cheg. Ro'n i'n gwybod ei fod e ar berwyl drwg, felly dilynais e.

'Aeth lawr yn y lifft a'i chario mas o'r twnnel. Roedd hi'n dawel yr adeg hynny a welodd neb nhw'n mynd. Rhoddodd y ferch yng nghefn fan goch yng nghornel y maes parcio a dod yn ôl i'r eisteddle. Ro'n i'n ei wylio drwy gydol yr ail hanner a gwnes i'n sicr na symudodd e.'

'Welais i Johnnie wrth y cae ac mae wedi bod yn fy helpu. Mae e mas y bac nawr yn cadw llygad ar y fan. Bydd e'n chwibanu os daw'r dyn yn ei ôl.'

'A ble mae'r herwgipiwr rŵan?' gofynnodd Owain.

'Mae e tu fas i'r drws 'ma,' meddai Dic. 'Am bwy mae e'n chwilio?'

'Mae e'n chwilio am Dylan, yr asgellwr de,' eglurodd Owain. 'Ei dad o ydi o, a chwaer Dylan ydi'r ferch.'

'Beth wnawn ni?' gofynnodd Dic.

'Af i tu allan i chwilio am heddwas – roedd digon ohonyn nhw yma gynna,' dywedodd Owain. 'Alli di geisio dod o hyd i fy mêt Alun? Roedd o'n gallu gweld Johnnie, felly mae'n bosib y gall o dy weld di. Dangos iddo lle mae'r fan a gofyn iddo ddweud wrth yr heddlu.'

Aeth Owain yn ôl i'r stafell newid a rhoi ei dracwisg amdano ar frys. Taflodd ei fag cit dros ei ysgwydd, a rhuthro o'r stafell ac i lawr y coridor tua'r twnnel o dan yr eisteddle. Wrth iddo gyrraedd y drws, gwelodd ffigwr cyfarwydd o'i flaen – y dyn wnaeth o ei gyfarfod yn arddangosfa'r Hanesydd Ifanc.

'Wyt ti wedi gweld Cai? Neu "Dylan", fel ry'ch chi'n ei alw fo?' chwyrnodd.

'Na, mae o'n dal yn y stafell newid,' meddai Owain, yn awyddus i ddianc.

'Nadi ddim. Gadawodd ddeng munud yn ôl,' meddai'r dyn.

Trodd Owain ar ei sawdl ac anelu yn ôl i lawr y coridor, ond cydiodd y dyn ynddo gerfydd ei goler a rhoi hances yn dynn dros ei geg. Anadlodd Owain a gallai flasu cemegyn dieithr ac annifyr yng nghefn ei geg ... cyn i bopeth o'i gwmpas droi'n ddu.

PENNOD
DAU AR BYMTHEG AR HUGAIN

Dihunodd Owain, a gweld ei fod mewn lle tywyll, drewllyd. Daliai i deimlo'n simsan o ganlyniad i'r cyffur annymunol, ond gallai glywed rhywun yn crio wrth ei ymyl. Agorodd ei lygaid led y pen a gweld siâp yn y tywyllwch. Wrth i'w lygaid gynefino â'r düwch, adnabu'r gwallt cyrls – chwaer fach Dylan oedd hi.

'Cadi,' sibrydodd, 'Owain sy 'ma. Cofio? Galwais i weld Dyl yn Nolgellau.'

'Ydw, dwi'n cofio,' meddai dan sniffian. 'Beth sy'n digwydd? Ble ry'n ni?'

'Dwi'n meddwl ein bod ni mewn fan ym maes parcio'r stadiwm. Dydi hi heb symud, felly dwi'n meddwl ein bod ni'n dal yno. Mae dy dad yn ceisio dod o hyd i Dylan.'

Ond doedd y dyn yn cael dim lwc yn ceisio dod o hyd i'w fab. Llwyddodd i osgoi'r heddlu wrth iddo grwydro o gwmpas y stadiwm, ond allai o ddim darganfod ei fab yn unman. Penderfynodd roi'r ffidil yn y to a dychwelyd i'r fan. 'O leia dwi wedi cael gafael ar un ohonyn nhw,' mwmialodd wrtho'i hun.

Ar y ffordd, bu'n ceisio penderfynu beth i'w wneud ynglŷn ag Owain.

Yn y cyfamser, roedd Dic wedi bod yn astudio wynebau cefnogwyr Craig-wen wrth iddyn nhw grwydro'r llefydd bwyd a diod wedi'r gêm. Roedd rhai'n aros i wylio gêm Caerdydd tra oedd eraill yn awyddus i ddychwelyd i'r ysgol i barhau â'r dathlu. Aeth yn ôl allan i'r maes parcio, lle'r oedd bws Craig-wen wedi'i barcio y tu mewn i'r giât. Edrychodd Dic draw i'r gornel bellaf at y fan goch.

Gwyliodd wrth i'r disgyblion ddringo ar y bws, cyn sylwi ar y bachgen gwallt melyn, blêr oedd yn rhythu arno. Cododd ei law arno a gweiddi, 'Alun!'

Parhaodd Alun i rythu wrth iddo gerdded tuag ato.

'Alun – Dic ydw i,' ebychodd.

'Dwi'n meddwl 'mod i wedi deall hynny,' meddai Alun yn betrus, heb sylwi ar ei gyd-fyfyrwyr yn sbio arno'n amheus; edrychai fel petai'n siarad ag ef ei hun.

'Rhaid i ti ddod gyda mi – mae chwaer fach Dylan mewn trwbwl. 'Wy angen dy help di!'

'Beth alla i ei wneud?' gofynnodd, gan gerdded y tu ôl i'r bws er mwyn mynd o olwg y bechgyn eraill.

'Wyt ti'n gweld y fan goch 'co?' Pwyntiodd Dic ati. 'Wel, mae rhywun wedi herwgipio Cadi a'i chloi ynddi.'

Yna daeth ffigwr arall heibio i ochr y bws. Johnnie L. Williams oedd yno.

'Dic, Alun, dewch yn glou,' gwaeddodd. 'Mae'r dyn wedi dal Owain hefyd. Mae e wedi'i roi yn y fan ac wedi dychwelyd i'r stadiwm, ond mae e ar ei ffordd yn ôl nawr.'

Pwyntiodd Johnnie at y dyn oedd yn cerdded i lawr y grisiau ac i'r maes parcio.

Gan feddwl yn chwim, rhuthrodd Alun draw at ddau heddwas a safai gerllaw.

'Ydych chi'n chwilio am eneth goll?' gofynnodd.

'Ydym, wrth gwrs,' meddai un o'r heddweision. 'Beth wyddost ti am hynny?'

'Dwi'n siŵr 'mod i wedi gweld y dyn acw'n cario geneth i gefn ei fan,' ebychodd Alun.

Syllodd yr heddweision ar ei gilydd cyn rhuthro ar draws y maes parcio enfawr.

'Arhoswch!' bloeddion nhw wrth i'r dyn gyrraedd ei gerbyd.

Llamodd tad Dylan i mewn i'r fan, tanio'r injan a gyrru'n gyflym tuag at y ddau heddwas. Neidiodd y ddau o'r ffordd ac fe'u gadawyd yn gwingo ar y llawr wrth i'r herwgipiwr anelu am yr allanfa.

Fodd bynnag, roedd Alun wedi dweud wrth Mr McRae beth oedd yn digwydd a llamodd yr athro i mewn i sedd gyrrwr y bws pan welodd y fan yn gwibio heibio. Gwasgodd ar y pedalau'n ffyrnig a throi'r bws yn gyflym ar draws allanfa'r maes parcio, cyn dweud wrth y bechgyn am fynd yn syth oddi ar y bws a rhedeg i Eisteddle'r Gorllewin.

Pan drodd yr herwgipiwr ei fan i wynebu'r allanfa, gwelodd fod y ffordd o'i flaen wedi'i blocio, a'i fod yn sownd yn y maes parcio. Gyrrodd yn gyflym at y giât a neidio allan o'r fan, ond roedd Mr McRae wedi parcio'r bws mor agos at y ffens fel na allai o hyd yn oed ddianc ar droed. Syrthiodd ar ei bengliniau ar lawr wrth sylweddoli ei fod wedi'i ddal, a heidiodd nifer o heddweision ato.

Rhuthrodd Mr McRae ac Alun draw at y fan goch ac wrth iddyn nhw dorri'r clo ac agor drysau cefn fan yr herwgipiwr, cerddodd Dylan trwy ddrysau cefn yr eisteddle yng nghwmni heddwas. Syllodd y bachgen ar yr olygfa o'i flaen cyn deall yn gyflym beth oedd wedi digwydd. Rhuthrodd at gefn y fan.

Torrodd Mr McRae y rhwymau oedd yn clymu dwylo a

thraed Owain a Cadi gyda'i gyllell boced a daeth y ddau allan o ddüwch y fan, gan gysgodi'u llygaid rhag haul y prynhawn. Daeth mam Dylan o'r stadiwm, gyda Mr Hopcyn, ac roedd hi yno mewn pryd i weld ei gŵr yn cael ei wthio i sedd gefn car heddlu. Cofleidiodd ei mab a'i merch, a'i llygaid yn llawn dagrau.

'Enilloch chi?' oedd y cwestiwn cyntaf ofynnodd Cadi i Dylan. 'Ar ôl popeth sydd wedi digwydd, dwi'n gobeithio eich bod chi wedi'u curo nhw'n rhacs.'

PENNOD
DEUNAW AR HUGAIN

Ar ôl i dad Dylan gael ei yrru ymaith, ac wedi i'r heddlu orffen holi Owain a Cadi am ddigwyddiadau'r prynhawn, dychwelodd Mr Hopcyn i'r stadiwm i'w nôl.

'Roedd Alun Huws yn dipyn o arwr,' meddai'r prifathro, gan sipian ei de yn ei swyddfa yng Nghraig-wen. 'Petai e heb ddweud wrth yr heddlu a Mr McRae am y fan, pwy a ŵyr beth fyddai wedi digwydd. 'Wy'n dal ddim yn siŵr sut goblyn y gwelodd e'r ferch fach yn cael ei rhoi yn y fan, ond daeth popeth i fwcwl yn y diwedd.'

'Wel, dwi'n hapus iawn na chafodd neb eu hanafu,' meddai mam Dylan. 'Ro'n i'n poeni f'enaid amdanyn nhw. Roedd Cadi ac Owain yn ddewr iawn.'

'Wnes i fawr o ddim,' meddai Owain yn swil, gan godi ei ysgwyddau.

'Na, mi wnest ti ofalu am Cadi,' atebodd ei mam, 'ac roedd hi'n llawer hapusach pan oeddet ti efo hi yn y fan.'

'Wel, dwi'n falch iawn fod popeth drosodd – a bod gennym ni dlws hyfryd arall i'n hatgoffa o'r ddrama,' chwarddodd Mr Mathews, oedd newydd ddod i mewn i'r swyddfa gyda Dewi Morgan a rhieni Owain.

'Ia, ond fyddai'r tlws 'na ddim wedi bod yn bwysig petai unrhyw un o'r bobl ifanc arbennig 'ma wedi cael ei anafu,' meddai Dewi.

Gwenodd Owain ar ei daid.

'A dwi'n deall bod angen dy longyfarch di ymhellach,'

ychwanegodd Taid. 'Mae hi wedi bod yn dipyn o wythnos i ti.'

'Ydi,' cochodd Owain. 'Mae'n siŵr ei bod hi.'

'I ble rydach chi'n mynd ar y daith?' gofynnodd yr hen ddyn. 'Ga i ddod hefyd?' meddai'n ysgafn.

'Mae gen i ofn na fydd hynny'n bosib, Mr Morgan,' torrodd y prifathro ar ei draws. 'Dim ond am ddau ar hugain o fechgyn a thri athro maen nhw'n talu. Ond ry'n ni'n mynd lle mae Owain eisiau mynd – i feysydd cad y Rhyfel Mawr yn Ffrynt y Gorllewin. 'Wy'n siŵr y gwnaiff y bechgyn ddysgu llawer yno, a gallwn ni ddangos ein parch i Johnnie L. Williams hefyd.'

Gwenodd Owain, yn falch fod y prifathro wedi cytuno â'i awgrym. Ond gwnaeth sôn am Johnnie ei atgoffa ei fod wedi siomi ei ffrind yn arw drwy golli ei ddarn o ddefnydd gwerthfawr.

Daeth cnoc arall ar y drws a cherddodd yr Arolygydd Conran i'r swyddfa.

'Wel, Mr Hopcyn, Mrs Jones, daeth popeth i fwcwl yn y diwedd. Fydd Mr Jones ddim yn gallu eich trwblu chi am sbel nawr. Roedd e wedi bwriadu mynd â Cadi a Dylan i'r cyfandir. Roedd e hyd yn oed wedi archebu lle i'r tri ohonyn nhw ar long ar gyfer heno, ond pwy a ŵyr beth oedd ei gynlluniau ar gyfer Owain.'

Gwingodd Owain wrth glywed hyn.

Sgwrsiodd yr oedolion am y prynhawn dramatig am ychydig yn hwy cyn i'r arolygydd godi i adael. 'O, bu bron i mi anghofio,' meddai wrth fynd. 'Pan wnaethon ni wagu pocedi'r troseddwr wrth ei archwilio, daeth hwn i'r golwg. Gwnaeth un o'r bois yn yr orsaf ei adnabod. Fuon ni ddim yn hir wedyn yn darganfod ble cafodd Mr Jones afael arno.' Rhoddodd fag plastig clir i Owain. Tu mewn iddo, roedd darn carpiog o ddefnydd coch gyda'r tair pluen enwog arno.

'Yn y diwedd wnaeth Mr Jones gyfaddef ei fod e wedi'i ddwyn o dy stondin yn Neuadd Dewi Sant,' ychwanegodd yr arolygydd.

'Diolch!' gwichiodd Owain, wedi gwirioni bod y gwrthrych gwerthfawr wedi cael ei ddychwelyd.

Yn ddiweddarach, wedi i'r cyffro ddod i ben ac ar ôl i'r teuluoedd ddychwelyd i Ddolgellau, aeth Owain ac Alun am dro arall i lawr at y nant.

Roedd Owain yn awyddus i ddychwelyd y tair pluen i Johnnie, ond doedd dim sôn amdano yn ei fan arferol. Edrychai fel petai Dic wedi diflannu hefyd.

'Am ddiwrnod!' meddai Alun. 'Gwnes i ddychryn yn ofnadwy pan welais i Dic, ac ro'n i'n teimlo rêl ffŵl yn siarad efo fo wrth y bws, a phawb yn fy ngwylio.'

'Chwarae teg i ti am gadw dy bwyll,' atebodd Owain. 'Rhaid ei bod hi'n wych pan yrrodd Mr McRae y bws o flaen y giatiau. Yn anffodus, welais i ddim byd gan 'mod i wedi 'nghlymu yn y fan!'

'Wyddwn i ddim beth i'w ddweud pan wnaeth yr heddlu ofyn i mi am Cadi. Dywedais 'mod i wedi gweld rhywbeth od a'i chlywed hi'n crio. Dwi ddim yn meddwl eu bod nhw wedi 'nghredu i, ond do'n i ddim yn gallu dweud y gwir wrthyn nhw am sut ro'n i'n gwybod.'

'Na, neu bydden ni wedi cael ein rhoi dan glo hefyd! Dwi ddim yn meddwl bod yr heddlu yn credu mewn ysbrydion,' meddai Owain dan wenu.

Crwydrodd y ddau yn ôl i'r llofft ac roedden nhw wrth eu boddau o weld bod Dylan wedi dychwelyd i'w le arferol yn y gornel.

'Hei, Dyl, roedd heddiw'n ddiwrnod a hanner, doedd?' meddai Alun.

'Oedd, roedd ychydig yn frawychus am gyfnod,' cytunodd Dylan, 'ond o leiaf all Mam fyw mewn heddwch rŵan tra bod popeth yn cael ei sortio. Falle y gwnân nhw adael i mi ddod yn ôl i Graig-wen flwyddyn nesaf!'

Roedd y daith i Ffrainc yn un gofiadwy i ddosbarth Mr Lawson. Gan mai ef oedd pennaeth yr Adran Hanes, aeth Mr Mathews gyda nhw, ac fel diolch arbennig i'w hyfforddwr, cafodd Mr McRae wahoddiad hefyd. Gwelodd y criw feysydd nifer o'r brwydrau, a'r rheiny bellach yn ffermydd neu'n barciau eang. Cafodd y disgyblion eu cyffwrdd gan y mynwentydd anferth, gan wrando'n astud wrth i Mr Lawson adrodd hanes y bechgyn a'r dynion a ddaeth i ogledd Ffrainc o bob cwr o'r byd, a marw yn eu miloedd yn yr ardal fechan honno.

Ar y diwrnod olaf, gyrrodd y criw bychan i fynwent filwrol Chocques, a gofyn i'r dyn wrth y giât a allai o ddangos y bedd roedden nhw eisiau ei weld. 'Johnnie L. Williams? Fyddwch chi ddim angen cyfarwyddiadau,' meddai. 'Ef sydd â'r bedd gyda'r nifer fwya o ymwelwyr o'i gwmpas.'

Crwydrodd y bechgyn a'r athrawon ar hyd y rhesi o gerrig beddi gwyn, gan ddarllen rhai enwau ac oedi wrth iddyn nhw ddarganfod enwau Cymreig. Yna daeth y criw at fedd Johnnie L. Williams.

Roedd baner Cymru wedi'i gosod wrth droed y bedd a phlygodd Mr Mathews a rhoi draig degan fechan wrth ei hymyl. Dywedodd Mr Lawson wrth y bechgyn am y dyn a orweddai o dan y pridd a gofynnodd i Owain ddweud ychydig eiriau hefyd.

'Dwi byth yn dda iawn gyda'r math yma o beth,' meddai

Owain yn nerfus, 'ond hoffwn ddweud *pam* y gofynnais i am gael ymweld â'r fan hyn. Ro'n i'n meddwl ei bod hi'n ddiddorol bod un o gyn-gapteiniaid tîm Cymru yn gallu marw ar faes y gad, yn brwydro mewn gwlad ddieithr ymhell oddi cartre, ond sylweddolais ei fod o'n byw mewn oes wahanol iawn i'n hoes ni, a'n bod ni'n lwcus iawn, iawn. Dwi'n meddwl ei bod yn bwysig ein bod ni'n dysgu am hanes Johnnie L. Williams, ac ro'n i eisiau dod yma i dalu teyrnged iddo.'

Gofynnodd Mr Mathews i'r bechgyn ddweud gweddi dawel, cyn eu hannog i fynd yn ôl ar y bws ar gyfer eu taith i Gaerdydd.

'Ga i eiliad wrth y bedd ar fy mhen fy hun, syr?' gofynnodd Owain. 'Baswn i'n hoffi hynna.'

Cytunodd Mr Mathews ond dywedodd wrtho am frysio gan fod yn rhaid iddyn nhw gyrraedd y maes awyr mewn llai nag awr.

Wrth i'r athro gerdded ymaith, trodd Owain ac edrych ar y bedd. Doedd o ddim yn synnu pan welodd Johnnie yn sefyll y tu ôl i'r garreg.

'Dyma lle mae fy ngweddillion yn gorwedd, ond 'wy'n falch o gael dweud bod fy enaid yn dal i grwydro rhyw ychydig,' gwenodd.

'A dwi'n ddiolchgar iawn am hynny,' atebodd Owain. 'Mae gen i rywfaint o newyddion da hefyd,' ychwanegodd, a thynnu'r tair pluen wen o'i boced.

'Aaa, mae hynna'n ffantastig,' atebodd Johnnie, cyn aros ac edrych i fyw llygaid Owain.

'Ond a bod yn onest, do'n i ddim yn poeni'n ormodol am golli'r bathodyn,' ychwanegodd. 'Mae'n bwysicach fod darnau fel hyn ar gael i helpu'r byw i gofio am y meirw. Gwnest ti jobyn ardderchog ar fy mhrosiect a 'wy'n gwybod y gwnei di roi cartre da i'r tair pluen. 'Wy ddim yn sicr a fydda i byth yn dychwelyd i Gymru bellach; falle gwnaiff y rhain dy helpu i gofio amdana i.'

Dechreuodd llygaid Owain lenwi â dagrau, ond cododd Johnnie ei law.

'Rho'r gorau i hynna nawr. 'Wy wedi gorffen llefen ac mae pawb oedd yn fy ngharu wedi hen farw erbyn hyn. Cer 'nôl i Gymru a gweithia ar yr ochrgamu 'na. Mae gen ti goblyn o dalent ar y cae rygbi a 'wy moyn clywed popeth amdanat ti yn y blynyddoedd a ddaw.'

Rhoddodd Johnnie ei law ar ysgwydd Owain a diflannu.

Cerddodd Owain yn ôl am y bws yn araf, gan wenu a sychu'r dagrau o'i lygaid ar yr un pryd.

Nodyn gan yr awdur

Roedd Johnnie L. Williams yn gymeriad hanesyddol. Yn union fel yr adroddir yn y nofel, cafodd ei eni yn yr Eglwys Newydd yng Nghaerdydd a thyfodd i fod yn asgellwr disglair i dîm rygbi'r ddinas. Derbyniodd ddau gap ar bymtheg dros Gymru, gan sgorio cais ymhob gêm a gwneud ei ran i gipio tair Coron Driphlyg.

Pan dorrodd y Rhyfel Byd Cyntaf yn 1914, gwirfoddolodd i fynd i ymladd gan ymuno â chatrawd y Ffiwsilwyr Cymreig. Cafodd ei saethu yng Nghoed Mametz yn ystod Brwydr y Somme yng Ngorffennaf 1916 a bu farw o'i glwyfau.

Cafod pob gwlad golledion erchyll yn y rhyfel, ond Brwydr Coed Mametz ddaeth â'r colledion gwaethaf i Gymru. Lladdwyd neu anafwyd pedair mil o filwyr yn y frwydr honno, y mwyafrif ohonynt yn Gymry. Anfonwyd rhengoedd ar rengoedd o'r bechgyn i fyny llechwedd at ynnau peiriant yr Almaenwyr oedd wedi'u cuddio yng nghysgod y coed.

Mae'r gerdd ar dudalennau 108–109 yn un a gyfansoddwyd gan un o filwyr Cymreig y Rhyfel Byd Cyntaf. Ymddangosodd mewn papur newydd wythnosol Cymraeg o dan y teitl 'Y Frwydr yn y Coed' yn ystod gaeaf 1916 ac mae'n sicr ei bod yn ddisgrifiad byw a chywir iawn o'r gatrawd Gymreig ym Mrwydr Mametz.

Bu farw tri ar ddeg o chwaraewyr rygbi tîm cenedlaethol Cymru wrth ymladd yn y Rhyfel Byd Cyntaf. O'r rheiny, Johnnie L. Williams a gafodd y mwyaf o gapiau dros ei wlad.

Mae pob cyfeiriad arall at gymeriadau, yn fyw neu yn farw, yn gwbl ddychmygol.

'O'r gorau, fechgyn! Mae gennych chi bopeth sydd ei angen i ennill y gêm, felly ewch mas ar y cae, a gwneud yn union hynny,' meddai'r hyfforddwr.

Deuddeg oed yw Owain, ac mae wedi dechrau mewn ysgol newydd ... ac yn cael cyfle i gymryd rhan mewn gêm newydd yno. Mae pawb yn yr ysgol wedi gwirioni'n lân ar rygbi – gan gynnwys yr athrawon – ond dydi Owain erioed wedi cydio mewn pêl hirgron o'r blaen!

Gyda rheolau newydd i'w dysgu, a ffrindiau newydd i'w gwneud, mae ganddo ddigon ar ei blât heb orfod dod yn darged i Richie Davies, bwli mwyaf yr ysgol. A phwy yw'r cymeriad arall hwnnw, Dic Gordon, sy'n cynnig cyngor mor ddefnyddiol i Owain, er gwaethaf ei ddillad rygbi hen ffasiwn?